中國美術全集

竹木骨牙角雕珐琅器

全國百佳圖書出版單位
時代出版傳媒股份有限公司
黃山書社

☆ **國家出版基金項目**

圖書在版編目（CIP）數據

中國美術全集・竹木骨牙角雕琺瑯器/金維諾總主編；李久芳卷主編.—合肥：黃山書社，2010.6

ISBN 978-7-5461-1364-7

I.①中⋯ II.①金⋯ ②李⋯ III.①美術—作品綜合集—中國—古代②雕刻—中國—古代—圖集③金屬器物—琺瑯—中國—古代—圖集 IV.①J121 ②K879.32 ③K876.32

中國版本圖書館CIP數據核字（2010）第112006號

中國美術全集・竹木骨牙角雕琺瑯器

總 主 編：金維諾	卷 主 編：李久芳	責任印製：李曉明
責任編輯：宋啓發	封面設計：蠹魚閣	責任校對：李 婷

出版發行：時代出版傳媒股份有限公司(http://www.press-mart.com)

　　　　　黃山書社(http://www.hsbook.cn)

　　　　（合肥市翡翠路1118號出版傳媒廣場7層　郵編：230071　電話：3533762）

經　　銷：新華書店

印　　刷：北京雅昌彩色印刷有限公司

開本：889×1194　1/16　　印張：22　　字數：71千字　　圖片：461幅

版次：2010年12月第1版　　印次：2010年12月第1次印刷

書號：ISBN 978-7-5461-1364-7　　　　　　　定價：600圓

版權所有　侵權必究

（本版圖書凡印刷、裝訂錯誤可及時向承印廠調換）

《中國美術全集》編纂委員會

總　顧　問　季羨林

顧問委員會　啓　功（原北京師範大學教授）

俞偉超（原中國國家博物館館長、教授）

王世襄（原故宮博物院研究員）

楊仁愷（原遼寧省博物館研究員）

史樹青（原中國國家博物館研究員）

宿　白（北京大學考古文博學院教授）

傅熹年（中國工程院院士）

李學勤（中國社科院歷史所原所長、研究員）

耿寶昌（故宮博物院研究員）

孫　機（中國國家博物館研究員）

田黎明（中國國家畫院副院長、教授）

樊錦詩（敦煌研究院院長、研究員）

總　主　編　金維諾（中央美術學院教授）

副總主編　孫　華（北京大學考古文博學院教授）

羅世平（中央美術學院教授）

邢　軍（中央民族大學教授）

藝術總監　牛　昕（時代出版傳媒股份有限公司副董事長、美術編審）

《竹木骨牙角雕琺瑯器》卷主編　李久芳（故宮博物院研究員）

《中國美術全集》出版編輯委員會

主　　任　王亞非
副 主 任　田海明　林清發
編　　委　（以姓氏筆劃爲序）
　　　　　王亞非　田海明　左克誠　申少君　包雲鳩　李桂開　李曉明
　　　　　宋啓發　沈　傑　林清發　段國强　趙國華　劉　煒　歐洪斌
　　　　　韓　進　羅鋭靭
執行編委　左克誠　宋啓發
項目策劃　羅鋭靭　沈　傑
封面設計　蠹魚閣
品質監製　李曉明　歐洪斌

凡　例

一、編　排

1.本書所選作品範圍爲中國人創作的、反映中國文化的美術品，也收録了少量外國人創作的，在中外文化交流史上具有代表性的美術品，如唐代外來金銀器、清代傳教士郎世寧的繪畫作品等。

2.根據美術品的表現形式和質地，共分爲二十餘類，合爲卷軸畫、殿堂壁畫、墓室壁畫、石窟寺壁畫、畫像石畫像磚、年畫、岩畫版畫、竹木骨牙角雕琺瑯器、石窟寺雕塑、宗教雕塑、墓葬及其他雕塑、書法、篆刻、青銅器、陶瓷器、漆器家具、玉器、金銀器玻璃器、紡織品、建築等二十卷，五十册。另有總目録一册。

3.各卷前均有綜述性的序言，使讀者對相應類別美術品的起源、發展、鼎盛和衰落過程有一個較爲全面、宏觀的瞭解。

4.作品按時代先後排列。卷軸畫、書法和篆刻卷中的署名作品，按作者生年先後排列，佚名的一律置于同時期署名作品之後。摹本所放位置隨原作時間。

5.一些作品可以歸屬不同的分類，需要根據其特點、規模等情况有所取捨和側重，一般不重複收録。如雕塑卷中不收録玉器、金銀器、瓷器。當然，青銅器、陶器中有少數作品，歷來被視爲古代雕塑中的精品（如青銅器中的象尊、陶器中的人形罐等），則酌予兼收。

6.爲便于讀者瞭解大型美術品的全貌，墓室壁畫、紡織品等類別中部分作品增加了反映全貌或局部的示意圖。

二、時間問題

7.所選美術品的時間跨度爲新石器時代至公元1911年清王朝滅亡（建築類適當下延）。

8.遼、北宋、西夏、金、南宋等幾個政權的存在時間有相互重疊的情况，排列順序依各政權建國時間的先後。

9.新疆、西藏、雲南等邊疆地區的美術品，不能確知所屬王朝的（如新疆早期石窟寺），以公元紀年表示，可以確知其所屬王朝（如麴氏高昌、回鶻高昌、南詔國、大理國、高句麗、渤海國等）的，則將其列入相應的時間段中。

10.對于存在時間很短的過渡性政權，如新莽、南明、太平天國等，其間産生的作品亦列入相應的時間段中，政權名作爲作品時間注明。

11.某些政權（如先周、蒙古汗國、後金等）建國前的本民族作品，則按時間先後置于所立國作品序列中，如蒙古汗國的美術品放在元朝。

三、圖版説明

12.文字采用規範的繁體字。

13.對所選美術作品一般祇作客觀性的介紹，不作主觀性較强的評述。

14.所介紹内容包括所屬年代、外觀尺寸、形制特徵、内容簡介、現藏地等項，出土的作品儘量注明出土地點。由于資料缺乏或難以考索，部分作品的上述各項無法全部注明，則暫付闕如，以待知者。

四、目録及附録

15.爲了方便讀者查閲，目録與索引合并排印，在每一行中依次提供頁碼、作品名稱、所屬時間、出土發現地/作者、現藏地等信息。

16.爲體現美術作品發展的時空概念，每卷附有時代年表，個别卷附有分布圖，如石窟寺分布圖、墓室壁畫分布圖等。

五、其　他

17.古代地名一般附注對應的當代地名。當代地名的録入，以中華人民共和國國務院批準的2008年底全國縣級以上行政區劃爲依據。

18.古代作者生卒年、籍貫、履歷等情況，或有不同的説法，本書擇善而從，不作考辨。

中國美術全集總目

總目録

卷軸畫

石窟寺壁畫

殿堂壁畫

墓室壁畫

岩畫　版畫

年畫

畫像石　畫像磚

書法

篆刻

石窟寺雕塑

宗教雕塑

墓葬及其他雕塑

青銅器

陶瓷器

玉器

漆器　家具

金銀器　玻璃器

竹木骨牙角雕　琺瑯器

紡織品

建築

中國竹木骨牙角雕概述

　　中國人很早便開始利用自然界生長的竹、木和動物的骨、牙、角製造生產工具、生活用品和美化生活的裝飾品，并在長期的生產實踐中不斷改進和創新製造工藝，逐漸形成了多姿多彩且富有民族傳統風格的美術門類。

　　遠在舊石器時代，生活在北京周口店地區的山頂洞人就已經將獸骨製成骨墜、項鏈等裝飾品，表現出早期人類對美的追求。進入新石器時代以後，竹、木、骨、牙、角器物的製作和使用有了較爲全面的發展，在距今六、七千年前的浙江餘姚河姆渡原始社會遺址中，出土了木雕圓筒、象牙雕花牌飾以及象牙雕鳥形匕等竹、木、骨、牙、角製品。其中的象牙雕鳥形匕，以鳥身爲柄，長尾爲匙，美觀實用，形態异常生動。在距今四千八百至五千年前的山東大汶口原始社會遺址中出土的象牙梳，豎列九齒，梳柄之上透雕雙“S”形花紋，花紋間鑲嵌綠色松石，其工藝已達到很高水平。隨着社會的進步和生產力水平的提高，特別是金屬工具的出現，竹木牙角雕刻更是有了發展的新天地。1979年在河南安陽殷墟婦好墓出土的三件形體高大、紋飾精美的象牙杯，杯身陰刻雲雷紋爲地，上面浮雕獸面紋和鳥紋，綫條清晰細膩。杯身一側用榫卯扣合的方法設置夔龍和鴞鳥形的器柄，使杯的整體造型顯得格外端莊富麗，反映出金屬工具出現後，竹木牙角雕刻工藝的新發展和所取得的成就。

　　由于竹木牙角皆爲有機物，在自然界中易受有害物質侵蝕和人爲損壞，極難保存，故傳世者甚少。然而目前遺存于世的少量作品，亦可充分展現出當時中國竹木牙角雕刻藝術的輝煌成就。明、清兩個王朝，統治中國將近五個半世紀，在此期間，竹木牙角雕刻藝術在繼承歷史傳統的基礎上又有所飛躍，不僅作品的種類、數量增多，而且出現了衆多文人、書畫家參與和從事竹、木、牙、角製品創作的新局面，使本來講究技巧的工藝製品，趨向于追求書法和繪畫的效果，從而提高了其藝術品位，徹底改變了將竹木牙角雕刻視作“奇技淫巧”、“雕蟲小技”的社會偏見。這種觀念的變化進一步促進了竹木牙角雕刻藝術的新發展，形成了不同的風格和流派，涌現出一大批著名的雕刻家，他們的作品蜚聲海內外。

竹木類雕刻品

　　竹、木雕刻工藝通常被視爲同一門類。竹、木是兩種不同種屬的植物，具有不同的性質和特點，作爲雕刻材料，有着不同的工藝要求和表現方法。如竹刻中的“留青”和“竹簧”在木雕作品中就無法表現出來，而木雕中的高浮雕和寬厚的大

1

型雕刻品，也難以在竹雕中實現。但是，從雕刻工藝的基本技法上看，二者卻有着更多的相似之處，許多著名的刻竹名家同時也是木雕的能手。例如，清初大名鼎鼎的竹刻家吳之璠，被稱作嘉定派刻竹傳人，但他所刻黃楊木雕東山報捷圖筆筒，也是木雕中的極品。

（一）材料的選擇和利用

自然界中竹、木生長的範圍很廣，品種繁多，但是作爲雕刻用的材料，則需要具備一定的條件。雕刻品材質的優劣與工藝水準的高低相輔相成，互爲依托，如果忽略對材料的選擇和利用，則會嚴重影響作品的藝術效果。所以對材料的選擇和利用，是竹、木雕刻創作過程中十分重要的因素。

（1）竹材

在中國，竹的品種較多，常見有毛竹、斑竹、棕竹和方竹等。毛竹亦稱筒竹，枝幹粗壯，其圓筒狀的形體宜雕刻筆筒、臂擱等文房用具。有的竹幹彎曲變形，則可巧妙地雕成藝術水平很高的作品，如竹雕牧牛圖筆筒，竹幹近根部略彎曲，作者利用材料自然形成的弧度，刻畫出以山林爲背景的村童牧牛。在凹陷的弧綫上，顯現平滑的山坡，一牛趴于地，似飽食後正細細咀嚼，另一牛站立，牧童騎于其背上，畫面生動且富有生活氣息，充分顯示出作者選擇和利用材料的功力。斑竹亦稱湘妃竹，主要產于江浙和兩湖地區，形體修長，表面有紅褐色斑點，傳說是湘妃的淚水所化。斑竹也由于這則美麗的神話而頗受人們青睞，通常被用作扇骨、筆管、手杖或劈成竹篾黏貼成箱、櫃之類生活用具。棕竹色澤深褐，纖維粗壯分明，形成深淺不同的條紋，韌性很強。劈成片狀後，多用來拼貼成盒、匣之屬，也有用作手杖的。方竹體細長呈方柱形，產于江浙地區，極其罕見。僅知乾隆時期用作手杖，并在杖首題寫詩句贊譽自然界物產之豐，更顯其珍貴新奇。

這些不同類型的竹，除用來製作雕刻品外，還利用其韌性強的特點，采取特殊的方法拉出很細的竹絲，用以編織和鑲嵌各種器物。而把竹劈開後翻轉其裏，將竹之內膜黏貼于木或竹製器物上的工藝，被稱爲“竹簧”或“文竹”。這種工藝始見于清代，尤以乾隆時期之作品最爲精美。

（2）木料

木料中適宜用作雕刻材料的有硬木和軟木兩種。硬木雕刻中常見有紫檀木、黃花梨木、鸂鶒木、烏木等。這些木料主要產于雲南、四川、廣西、貴州等地區的深山老林中，生長緩慢，質地堅硬，不易變形或破裂，除用來製作家具之外，也常用于雕刻文房用具，箱、櫃、盒等生活用品以及佛像、人物、動物等圓雕作品。其色澤較深暗，自然形成的紋理猶如迷朦的山川、飄浮的流雲、滾動的波濤，如運用得當會産生奇特的藝術效果。由于大量采伐，這類木料至明代晚期已十分稀少，清代以降，幾至枯竭，祇能依靠從東南亞地區進口。

軟木雕刻中以黄楊木、楠木、樺木等最常見，也有檀香木、沉香木、枷楠香木等製品。這類木料質地柔和細膩，有一定韌性，色澤多爲淡黄，有的還帶有芬芳的氣味，適合雕刻小型工藝品。檀香木异香撲鼻，宫中多用來雕刻香囊、扇骨和精美的竹木盒内囊。枷楠香木多從海外進口，自身有藥香味，具有藥用價值，常被用來製造筆筒、鎮紙、朝珠、手串等用品和裝飾品。此種木料表層多凹凸不平，質地較脆，可利用其粗糙的特點雕刻山林人物和花卉等題材。

在木雕中另有根雕、果殼雕和核雕等工藝。根雕是利用多年生的老樹根，視其自然形態，稍許加工使其成爲各種造型抽象的器物。核雕一般很小，有圓形和橄欖形兩種，屬于微雕製品，多爲朝珠、手串等小巧的工藝品。

（二）明代竹木雕刻的派別及其代表人物

竹木雕刻品質地淳樸、材料來源廣泛，民間普遍流行。明代早期，竹木雕刻曾被視爲"雕蟲小技"，與皇家追求的豪華富麗之風相左，故難登大雅之堂。這種觀念給竹木雕刻的發展造成很大阻礙。明代中期以後，隨着人們審美情趣的轉變和都市經濟的繁榮，竹木雕刻的發展出現了新氣象。特别是許多文人、書畫家開始參與和從事竹木雕刻的創作活動，把書法、繪畫的布局和皴、擦、點、染等基本技法運用到竹木雕刻之中，徹底改變了竹木雕刻單純追求工藝技法的傾向，使之跨入了文化藝術的新天地，出現了衆多聞名于世的雕刻家，形成了不同的藝術風格和派別。據清嘉定人金元鈺《竹人録》載："雕竹有二派，一始于金陵濮仲謙，一始于吾邑朱松鄰。"書中還記録了許多以竹刻聞名的雕刻高手，具有一定的史料價值。但書中"濮派淺率，不耐尋味"等評語未必全面，因此對于竹木雕刻的不同派別和風格特點，我們不僅要參照史書記載，還要根據遺存的作品進行更廣泛的多方面分析，方能比較全面地反映出明清兩代竹木雕刻的成就。

（1）金陵派

金陵派刻竹創始人濮澄，字仲謙。據《太平府志》載："一切犀玉髹竹皿器，經其手即古雅可愛。"《陶庵夢憶》中說："其竹器一帚一刷，竹寸耳，勾勒數刀，價以兩計。然其所自喜者，又必用竹之盤根錯節，以不事刀斧爲奇，經其手略製磨之，而遂得重價。"濮澄的作品"竹雕松樹形小壺"宛若一棵古松傲然屹立，老幹新枝蒼健，顯示出頑强的生命力。其簡練明快的雕刻技法，蒼勁古樸的風格特徵，展現出"古雅可愛"的藝術魅力。這種特點同記載中"必用竹之盤根錯節，以不事刀斧爲奇"的特徵相一致。顯然《竹人録》一書中"濮派淺率，不耐尋味"之説，是出于作者的鄉里觀念和門户之見，不足爲據。濮仲謙作爲金陵派的創始人，其刻竹風格對後世産生了巨大影響。

（2）嘉定派

嘉定派刻竹創始人朱鶴，字松鄰。其竹木雕刻器皿多爲筆筒、香筒、臂擱之類的文房用具，并以雕刻簪釵飾物而名噪一時，乃至人呼其器曰"朱松鄰"。宋荔裳贈《竹罌草堂歌》云："練川朱生稱絕能，昆刀善刻琅玗青。仙翁對弈辨毫鬢，美人徙倚何娉婷。石壁巉岩入烟霧，澗水松風似可聽。"從中可知其雕刻技法纖細，題材廣泛，極力追求形神兼備的藝術效果，惜作品遺存不多。朱鶴之後，其子朱纓（字清父、號小松）、其孫朱稚征（號三松），亦爲嘉定派刻竹高手。據載，朱稚征善畫遠山澹石、叢竹枯木，尤長于畫驢。其刻竹刀不苟下，興至始爲之。所刻筆筒、臂擱，紋飾或蟹、或蟾蜍、或山水人物，涉及題材極廣泛。其代表作竹雕春菜筆筒，刀法深淺變化，因材施藝，畫面空間處，鎸刻陰文隸書乾隆己亥仲秋御題詩一首，贊頌作品雕刻技藝之精絕。此外，竹雕和合二仙乘舟、竹雕仕女圖筆筒和竹雕漁翁等均爲朱三松所刻傳世珍品。

朱氏三代刻竹，取材廣泛，早期雕刻刀法以纖巧工謹見長，其後稍有變化，追求繁簡適度的藝術效果，至三松時更臻完善，達到以刀代筆的境界。其山水人物追尋簡樸古拙、逸趣橫生之北宗風格，而花鳥則多仿徐熙的清淡典雅之意境，開創了有明以來刻竹結合繪畫技法之先河，對後世竹木雕刻産生了巨大影響。

明代嘉定派刻竹除朱氏之外，尚有侯岢曾（字晋瞻）、沈大生（字仲旭、又字禹川）、秦一爵等雕刻名家，均長于朱氏雕刻之法，然傳世作品極少。

另有張希黃刻竹，皆用留青之法，常見其留青殿閣圖筆筒，綫條橫竪平直，刀法深淺變換，色彩濃淡相映，儼若一幅絕妙的界畫，開闢了金陵派和嘉定派刻竹以來一代新風。

明末的刻竹名家還有蘇郡人江福生（字春波），其代表作品沉香木雕山水圖筆筒，雕刻山水樹石隨形起伏，顯示出作者深厚的雕刻功力，亦爲傳世竹刻珍品。

竹木雕刻藝術的興盛及其製品的精美，對皇室也産生了一定影響。明代永樂年間（公元1403–1424年），御用監即徵調嘉興府著名漆工進宮服役。萬曆年間（公元1573–1620年）也曾從雲南揀選工匠入宮。可以想見，御用監也同樣招募了從事竹木雕刻的著名匠師入宮服役，這些匠師在宮廷中爲皇室雕刻了大量精美的作品，如竹雕飛熊、竹根雕松樹羅漢、紫檀木雕雲龍紋長方盒、紫檀木雕花卉圖筆筒、沉香木雕松竹梅筆筒等。雖然在當時特定的歷史條件下，這些作品中絕大多數沒有留下作者的姓名，但這并不能掩蓋工匠們卓越的雕刻技藝和明代後期宮廷竹木雕刻工藝所取得的成就。

（三）清代宮廷中的竹木雕刻及代表人物

明代後期竹木雕刻的繁榮，爲清代竹木雕刻的發展奠定了堅實的基礎，清初許多著名的竹木雕刻大師都出自明代嘉定派門下。康熙十九年（公元1680年）内務府在宮廷内設立造辦處，從全國各地徵調匠人爲皇室製造所需生活物品。其中"油木作"和"雕刻作"是製造竹木雕刻品的主要作坊，其生產範圍及品種相當廣泛，除傳統的筆筒、臂擱等文房用具外，還出現了立雕的陳設器、生活用品和古仙佛像等。雕刻技法在沿用金陵派和嘉定派傳統技藝的基礎上又有所創新，常見有綫刻、錘刻、淺浮雕（薄地陽文）、高浮雕、透雕、立雕、留青、文竹和用竹絲製成器物等。紋飾題材亦十分廣泛，有花草蟲角、飛禽走獸、山水人物、神話故事、仿古圖像、吉祥圖案以及帝后專用的龍鳳紋等。此類竹木雕刻作品工藝嚴謹，風格細膩，展現出莊重富麗的宮廷藝術特徵。

（1）清代前期的竹木雕刻及代表人物

以康熙時期（公元1662-1722年）爲代表的清代前期的竹木雕刻相當發達，涌現出一批著名的竹木雕刻家。他們中有的在御前供奉，直接爲皇帝製作所需物品；有的雖然未入内廷服役，但作品被地方官員供入内廷。

吳之璠，字魯珍，號東海道人，是朱三松之後嘉定派刻竹的代表人物，其作品曾被地方官吏貢進内廷。《竹人録》稱"（吳之璠）所製薄地陽文最工絶"。其竹雕松溪浴馬圖筆筒和竹雕布袋僧筆筒，均運用了"薄地陽文"技法，前者表現駿馬、人物，生動傳神，後者利用局部刻一行僧，其餘空間却題詩刻字，可謂書畫雙絶。而黃陽木雕東山報捷圖筆筒以山林爲背景，利用一張一弛、一静一動兩幅畫面，表現出歷史上著名的淝水之戰的典故，層次清晰，景物深遠，不但構思巧妙，而且刀法精湛，顯示出作者過人的高浮雕技巧。

封錫爵，字晋侯，封錫禄，字義侯，封錫璋，字漢侯，三兄弟鼎足而立，均爲嘉定派刻竹傳人。康熙年間，錫禄、錫璋兄弟被徵召入京，同值造辦處。《竹人録》載："竹根人物盛于封氏，而精于義侯。其摹擬梵僧佛像，奇踪异狀，詭怪離奇，見者毛髮竦立。至若采藥仙翁、散花天女，則又軒軒霞舉，超然有出塵之想。世人競説吳裝，義侯不加彩繪，其衣紋縹渺、態度悠閑。獨以銛刀運腕如風，遂成絶技，斯又神矣。"竹雕白菜筆筒，根莖包捲，葉脉清晰，似飽含汁液，鮮活青嫩，底鑴陽文隸書"封錫爵"圖章式款。竹根雕布袋僧，以快利的刀法刻劃出"奇踪异狀，詭怪離奇"的人物形象，後背左下側刻有陰文草書"封錫禄製"款。而竹根雕采藥老人、竹根雕海蟾仙人、竹根雕仙人乘槎等作品，雖無款識，但雕刻形態準確，神情瀟灑，運刀快利，均爲高手所成，亦具封氏雕刻之特徵。

王易，字又白，嘉定人，曾于京師從事雕刻業，後南歸僑居吳門。他所刻竹雕滾馬圖筆筒，采用"薄地陽文"刻法，構圖簡潔明快，把竹之紋理留作廣闊空間，末署"嘉定王易橅趙松雪本，作于墨香小築之南窗，時年七十有八"。據稱王易八十始南歸，可知作品當刻于京師。

除去上述這些名家名作外，清初宮廷中還存有數量相當可觀的無名款作品，這些作品雕刻技藝高超，同樣代表了當時的竹雕風格和工藝水平。

總之，清代前期宮廷中的竹木雕刻品，較明代有新的變化。"薄地陽文"技法被廣泛采用，同時更多地出現了凸雕和圓雕造型的作品。工藝上綜合了金陵派和嘉定派刻竹之技巧，構圖簡潔，常將主題局限于一定範圍內，留下大部分空白以表現竹木紋理的天然之美。

（2）清代中期的竹木雕刻及代表人物

此時期的竹木雕刻，仍保持着嘉定派刻竹之遺風，但更趨向于纖巧細膩，其所涉及的品種和技法也開始向多樣化的方向發展。

周顥，字芷岩，號雪樵，晚號髯痴。《竹人録》謂其"作山水樹石叢竹，用刀如用筆，不假稿本自成丘壑。其皴法濃淡坳突生動渾成，畫手所不得者能以寸鐵寫之。"《嘉定三藝人傳》稱："皴擦勾掉悉能合度，無論竹筒、竹根，深淺濃淡，勾勒烘染，神明于規矩之中，變化于規矩之外，有筆所不能到而刀刻能得者。"其作品以陰刻爲主，輪廓皴擦一刀刻出，樹木枝幹一剔而就，刀痕爽利，雖持南宗皴法，更具斧劈意趣。其代表作竹雕雲蘿山水圖筆筒刀法快利，末署"甲子夏月製于雲蘿深處芷岩"。周顥簡略的雕刻風格對後世影響甚大。

封始齡，字綿周，爲封氏子侄輩，其竹刻承封氏技法而稍有變化。施天章，字焕文，爲封錫祿弟子，其雕刻技藝在封氏子侄輩之上。曾在雍正、乾隆年間供奉于內廷造辦處，多仿古之作。刻古尊、彝器渾厚蒼拙，古色古香；刻樹石之法用倪雲林側筆皴作小坡，高下頓折，望之如繪。由于施氏技藝精湛，被調到內廷"牙作"服役。但是在宮中服役不可能有個人創作的自由，作品一般也不能刻下名款，加之不堪忍受嚴厲的控制，施天章曾酒後出走。爲此，內務府行文各地通緝搜捕。被捕後，他由于雕刻技藝精湛沒被處死，而罰去甕山養馬。據《竹人録》載："後傳忠勇公請上，得以回籍。時已病，不復雕刻，偶得一物，旋即焚弃。"故其作品傳世甚鮮，而宮中遺存施氏竹刻和牙雕之作應數量不少，唯無一件作品留下款識。

當時刻竹名人還有浙江人潘西鳳，其刻竹刀法簡古，被譽爲金陵濮氏之後竹刻第一人。

此期間竹木雕刻品種繁多，層出不窮，雕刻技法變化多端。紫檀木雕鏤玉百子圖插屏，在厚達30厘米的紫檀木上鏤刻山林爲背景，亭臺殿閣掩映其間，上有近百玉雕童子游玩嬉戲，景物高遠，布局合度。乾隆題詩用銀絲嵌于屏側，對作品贊賞有加。鸂鵣木雕萬年普祝圖插屏采用高浮雕技法，用刀如運筆，是清前期雕刻工藝中很少出現的。此時的竹木雕刻，更加追求玲瓏奇巧的工藝技法，黃陽木雕蝙蝠葫蘆即爲代表作。外表凸雕小葫蘆爲飾，以瓜蒂作蓋，開啓之後蓋下有長鏈與器内底相連，長鏈間連接多條短鏈，每鏈間有多個小葫蘆連接，寓意子孫萬代，精妙至極。

此時，用竹之内膜製成的文竹器如雨後春笋般在宮廷内流行起來，其中有仿古器皿、文具匣、各式盒及如意等作品。這些作品多以木或竹爲胎，外表黏貼文竹，色調柔和，十分精美。有的器物爲了表現不同色彩，把竹内膜和表皮分別刻成不同圖案，再貼于器物之上，或利用毛竹和棕竹不同的色澤拉出細絲，按設計要求黏貼成器，使不同色彩互相襯托輝映。而此時出現的純用竹絲編織或拼貼而成的各種器物，工藝精湛，亦是前期所罕見的。

總之，清代中期是竹木雕刻工藝發展的高峰期，許多作品都將繪畫技法運用到雕刻之中，大型雕刻品進一步發展，雕刻技術更追求技巧的表現力，涌現出許多精美的作品，顯示出這一時期竹木雕刻工藝的成就。

清晚期民間的竹木雕刻尚有發展變化，一些竹木雕刻家能詩善畫，雕刻技法多追求簡練寫意之章法，富有一定新意。但宮廷之中的竹木雕刻已日趨衰落，所製多香囊、手串、奩盒、八仙人物等，雕刻刀法草率，缺少神韵，已無法達到早、中期的雕刻水平了。

牙角類雕刻品

牙、角類雕刻品，通常多指象牙和犀角製品。這兩種材料來源稀少，主要依靠從東南亞和非洲進口，故十分珍貴。明洪武二十一年（公元1388年）成書的《格古要論》把象牙和犀角列入珍寶類中，可知古人對象牙和犀角十分珍視，統治者甚至將其用作等級制度的象徵。《明史·輿服志》載："其帶一品玉、二品花犀、三品金銀花、四品素金……"亦即二品的官員方能配帶犀角刻花的官帶，顯示出犀角的高貴地位。

象牙和犀角性質不同，形狀各异，但作爲雕刻工藝，二者尚屬同一類別。象牙之外又有海象牙，俗稱楸角、海馬牙，尺寸較象牙小，通常染成綠色作筷子或小型飾物。角類中尚有牛角、羚羊角和鹿角。牛角材料廣泛，民間比較流行，羚羊角多用作器柄、刀鞘之類，鹿角常用于家具類中。

（一）明代宮廷中的牙角雕刻品

明代宮廷內遺存的象牙雕品數量不多，主要有牙璋、牙章、筆筒、筆架、臂擱、印盒和圓雕的人物、古仙佛像等。雕刻技法有光素、綫刻、浮雕、凸雕、鏤雕和立雕。這一時期的代表作品有象牙雕海水雙龍紋筆架，氣勢非凡，刀法勁健，牙質表面橫向的斷裂紋，增添了作品蒼勁古樸的意境。象牙雕麒麟鈕印章刀法剛勁，與海水雙龍紋筆架有异曲同工之妙。象牙雕荔枝紋方盒采用浮雕技法，枝葉起伏二、三層，并以不同的錦紋刻出果實表皮上的紋理，工藝精細，頗具立體效果。此外，象牙雕山水人物筆筒、象牙雕魁星等器物，均顯示出明代牙雕藝術的成就和水平。

犀角是一種名貴的中藥材，性寒、凉血，有清熱解毒的功效，可以醒酒，所以古人多用作酒杯。明代宮廷中遺存的犀角杯等器物數量可觀。雕刻時主要利用犀角的自然形狀，將其根部和頂端反轉倒置，截去尖部做成平足，再剔空其肉，即成爲闊口、小足的角杯。杯上大多雕刻各式圖案，明早期多浮雕或鏤刻整株的葵花、玉蘭、牡丹、茶花、荷花等圖案，枝葉簡練茁壯，在盛開的大朵花的四周常襯托小花蕾。雕刻刀法圓滑光潤，磨熟棱角，藏鋒清楚。以山水人物爲題材的作品，仍以浮雕和鏤雕的技法爲主，由于受到犀角倒置後上寬下窄的空間局限，畫面一般由下而上鋪陳展開，或山林叠嶂，或殿閣庭園，人物活躍于其間，多表現深遠、幽閑、高逸的意境。這一時期也常見刻畫蟠螭紋的作品，處理手法生動活潑。這類題材的作品，刀法圓滑光潤，不留雕刻痕迹，具有明早期牙角雕刻的共同特徵。

明代中葉，隨着都市經濟的繁榮，上層社會追求享樂之風日盛，使用犀角製品成爲一種時尚，其作品開始增多，藝術風格逐漸向着纖巧細膩、刀工快利、布局繁縟的方向發展。此時以花卉爲題材的作品仍占據主導地位，但多采用折枝小花和四季花作裝飾，整株大朵花圖案的作品減少。雕刻刀法亦顯快利，有些作品鋒芒畢露。此時采用減地陽文的作品增多，裝飾風格稍顯繁瑣。而以山水人物爲題材的作品仍保持明初的某些特點，但亦刀鋒快利，圖案繁縟。在器型處理方面開始追求多樣化，除杯之外，還出現了盂、碗、爵、槎形杯、鼎等早期比較少見的器物。

這一時期涌現出許多著名的犀角雕刻家。鮑天成，蘇州人，擅犀角雕刻，時人稱爲"絕技"。所製犀角雙螭紋執壺，圖案簡潔，純以形制取勝。尤通，字雨源，無錫人，擅刻犀角杯，時人直呼其爲"尤犀杯"。犀角雕帶流仙人乘槎杯爲尤氏之代表作，槎內有乾隆稱贊此杯的御題詩及"星漢槎"題銘。另有作者尤侃，雖不見文獻記載，但從宮中遺存的犀角雕過枝芙蓉鴛鴦紋杯觀察，其風格近似尤通，且刻法更加細膩。由此推測，尤氏二人可能同族同門。

（二）清代宮廷中的牙角雕刻品

清初的牙角雕刻繼承明代傳統風格，一些明末著名的牙角雕刻家在清初仍繼續從事雕刻活動，有的還被徵召進內府爲皇室服役。這一時期牙雕作品較少，而雕刻龍紋和蟠螭紋的犀角杯的數量增多。紋飾雕鏤較明末稍簡練，但仍以追求技巧爲主要傾向，作品顯得比較繁瑣。此時期清宮遺存的鹿角椅是利用鹿角製成的圈椅，不施雕刻，純以鹿角的自然形態組合成型，別具意趣。清中期，牙角雕刻工藝達到了歷史上的最高峰，尤其是象牙雕刻品大量出現，促進了牙雕工藝的飛速發展。

清代牙雕藝術特點：

（1）追求繪畫效果，甚至直接雕刻繪畫作品。

創作于乾隆六年的象牙雕《月曼清游册》，即是根據同時代宮廷畫家陳枚的《百美圖册》，由陳祖章、顧彭年、常存、肖漢振、陳觀泉五位牙雕匠師精心製作的。作品共分十二册，每册上下對開，上頁以寶藍漆砂爲地，以螺鈿鑲嵌乾隆御題詩句，下頁以傳統的風俗和節慶活動爲内容，表現宮廷仕女一年四季悠閑的生活情趣。畫面主要以象牙染色刻畫主題，配以金、玉、寶石等鑲嵌技術，色彩協調豐富，景物遠近層次清晰，富有立體效果，頗具觀賞性。紫檀框象牙雕廣粤十二府圖屏風，以紫檀木爲框，分作十二扇，每扇畫心以牙雕染色的山水爲背景，將十二府聯綴成通景畫。畫面上有八百餘人活動其間，表現兩廣地區的民俗生活情景，宛若一幅通景風俗畫。其他如牙雕插屏、挂屏等，多以漁、樵、耕、讀爲題材，采取浮雕染色的技法，刻畫鄉村的生活情景，栩栩如生，有繪畫難以表達的藝術效果。

（2）運用高浮雕技術，追求立體效果。

象牙雕百花齊放花籃圖插屏，采用高浮雕堆砌的方法，雕刻一個裝滿鮮花的大花籃，其刀法圓熟勁健，色彩協調、鮮艷，達到極高的藝術境界。顯而易見，這類作品在追求繪畫和雕塑效果的基礎上，更注重對牙角類雕刻技法的探求。象牙雕漁家樂圖筆筒，刻幾隻漁船停在樹蔭下，漁人聚集岸邊圍坐暢飲。筆筒雖爲圓筒式，但畫面用凸雕技法，紋飾深峻，船和漁人均爲立體形象。乾隆皇帝曾在此筆筒上題詩，不僅贊賞題材内容之美，更稱頌作者黃振效雕刻技藝之精。象牙雕十八羅漢渡海圖臂擱，凸面采用減地陽文技法，雕一僧坐爐前，爐上浮起一縷香烟，至頂端隱現一座殿閣。臂擱凹面凸雕十八羅漢，各執法器渡海，突起于海水波濤間。象牙雕山水人物圖方筆筒，采用凸雕技法刻畫山林農舍，畫面在不大的空間内將山村田野空曠、寧靜的氣氛，刻畫得淋漓盡致。

（3）鏤雕技藝精湛，超越歷史水平。

乾隆時鏤雕的象牙福壽寶相花套球，内外達十一層之多，每層花紋各異，雕刻極精細，是廣州地區的貢品。據記載，宋代有三重套球，被稱作"鬼工毬"，可知當時十分罕見。象牙雕活套環魚，魚身鱗片透雕連鎖式，外力觸動時，魚身自會擺動，玲瓏奇巧。象牙雕回紋葫蘆形染色花薰，透雕回紋相互套連，提動時回紋可隨之活動，而不脫出。葫蘆蓋開啓之後，內有長鏈與器底相連，長鏈上連接三根短鏈，短鏈上分別串連小葫蘆、鈴、繡球各一，工藝巧奪天工。另有象牙鏤雕提梁卣，玲瓏奇巧，頗具匠心。

（4）工藝精巧，玲瓏剔透。

清中期，牙角雕刻的成就之一是其工藝精巧。例如象牙雕鏤空如意紋長方小套盒，大盒內盛放各式小盒十八個，小盒內再置牙雕瓜果和器物十七件，并有細鏈與器體相連。外盒底鐫刻"乾隆癸未（公元1763年）季春小臣李爵祿恭製"楷書款，款內填墨彩。象牙雕榴開百戲，內雕雙重戲臺，雕梁畫棟，有戲班演出，場面熱烈，人小如豆，面相各具特徵。象牙雕海市蜃樓景屏，在長方形的臺座上置山石花鳥景物，中心處涌起一片祥雲，其上托起花瓣式的景觀，內刻山林樹石，間雜亭臺殿閣。臺前水面上，群仙乘舟前來獻壽。象牙鏤雕御船高僅1.7厘米，長不過5.2厘米，船邊有雷紋護欄，船首雕牌坊，有三人立于牌坊前觀景。牌坊後雕篷艙，篷頂上七個梢公正將桅杆放倒，篷艙鏤刻九扇可活動開合的窗户，艙內鏤空，對窗可以相望。船下有舵槳，活動自如，十分輕巧。窗櫺紋細如絲，人物雖小而細膩傳神，堪稱鬼斧神工之作。船底陰綫填墨署"乾隆戊午（公元1738年）花月小臣黃振效恭製"款。能署名于作品之上，可見黃振效當時在造辦處"牙作"的地位。

（5）立體形象的塑造，追求傳神的效果。

象牙雕仕女眉清目秀、亭亭玉立，氣質端莊高貴，是對當時貴婦形象的真實寫照。象牙雕童子牧羊，雕兩個牧童對坐于石臺上，面帶微笑，一童子吹奏牧笛，抑揚頓挫的笛聲，似乎吸引了旁邊側臥的三羊凝神靜聽。象牙雕鵪鶉形盒所雕鵪鶉抬首靜臥，目視前方，栩栩如生。

（6）象牙編織工藝，工巧細膩。

把象牙劈成細絲編織成器的技術，此時達到了最高峰。象牙質堅且脆，拉成細絲編成器物，首先要把象牙經過特殊方法處理，工藝難度較高。而清中期時，對此種技術的運用已是爐火純青。象牙編涼席是雍正時期廣州地方官員的貢品，先後曾進貢五張，至今雖已歷時二百餘年，而彈性未變。其他如用象牙絲編織的團扇、小型插屏和椅墊等均為世間珍品。

以上僅是清代中期牙雕藝術的幾個突出特點，其他如象牙雕染色花卉紋香囊、象牙雕海水雲龍紋火鐮套、象牙雕開光蒼龍紋子圖覆鐘式火鐮套以及各式各樣的小盒等，製作均無比精緻。這些精美絕妙、世間罕見的牙雕作品，反映出宮廷牙雕藝術的風格特點，也代表了中國牙雕工藝的最高成就。

這一時期，犀角雕刻同牙雕多方面的發展相比，稍遜一籌，但雕刻之精亦超越前代。犀角雕爐、盒花紋裝飾簡單，刻畫精緻，這種成套製造的犀角用品，此前難得見到。利用羚羊角之尖利和自然生成的旋紋製成的刀鞘，充分展現出物盡其材的特徵，作品挂有入庫時的紙簽，上書"雍正十三年十月初十日收"，更顯珍貴。

（三）清代晚期的牙角雕刻品

清代晚期宮中的牙角雕刻品，多爲同治、光緒年間爲慈禧皇太后慶壽而由廣東官員進獻的貢品，如象牙雕群仙祝壽塔、象牙雕群仙祝壽龍舟、象牙雕雲龍花鳥紋鏡奩、象牙雕花卉紋圓粉盒、象牙雕百花圖等。這些作品結構複雜，圖案繁瑣，雕刻技法較快利，棱角清晰，已失去早中期那種剛柔相濟的特點。其中象牙雕百花圖花紋深峻，上下浮起三四層之多，留白中鐫"粵東同盛號製"，反映了清晚期廣東地區私營牙雕作坊的雕刻水平。

宮廷中的百寶嵌

百寶嵌工藝是以金、銀、寶石、翡翠、瑪瑙、玉石、青金、松石、珊瑚、蜜蠟、象牙、犀角、玳瑁、沉香、螺鈿等材料製成各種景物，再將其鑲嵌於紫檀、黃花梨、漆器之上，使之構成山水、花鳥、异獸和人物故事等完整圖案。作品大者如屏風、書櫃，小者如筆筒、盒、匣之屬，色彩富麗，精美絕妙。

這種百寶嵌製品，用料繁多，加工複雜。所用金屬材料，需經過冶鑄、鏨刻；玉、水晶、瑪瑙、珊瑚之屬，需用轉動的砣具，以金剛砂和水碾磨；竹、木、牙、角之類，則要精雕細刻；用漆則需配料、調色等專門的技巧。因此，製作一件百寶嵌精品，不僅需要珍貴的材料，而且要求多種工藝技巧相互配合，綜合性工藝特點很強。由于百寶嵌對材料和工藝要求較高，一般情況下多不具備這些條件，而明清宮廷內對于這些要求却無一不備，且以毛料最優良，製作最精美，形成了一種色彩繽紛具有獨特風格的藝術門類。

明代宮廷的百寶嵌以盒爲主，有一幢、二幢、三幢式，多見紫檀、花梨和樺木製，蓋面上嵌寶石、綠松石、玉石、瑪瑙、螺鈿、染牙、烏木等。圖案以花鳥題材居多，諸如枇杷綬帶、石榴芙蓉、富貴牡丹等寓意吉祥長壽的內容。這些作品器口的邊緣，多用銀絲鑲成菱形回紋，製作十分精緻，常用來盛放皇帝書寫的册頁或珍貴的飾物。

清代初年，百寶嵌工藝仍承繼明末傳統風格，鑲嵌技術更加精細，式樣多有變化，圖案除花鳥之外，有雲龍、獅戲、海屋添籌、八仙慶壽、蓮藕、人物故事等。

例如紫檀百寶嵌三獅進寶圖盒，鑲嵌一深目高鼻、頭戴尖頂軟帽的番人，持寶物騎于獅上，獅揚首翹尾朝前奔走，兩隻小獅一前一後相隨，溫順可愛。紫檀百寶嵌蓮藕紋拜匣用青金石、螺鈿、碧璽、珊瑚、松石、染牙等爲材料，在盒蓋上鑲嵌蓮藕圖案，蓮蓬上的蓮籽，顆顆隆起，藕斷處的空隙露出藕芯，鮮靈青翠。紫檀百寶嵌花卉紋筆筒，在玲瓏石旁，一株古梅含苞欲放，旁側一株茶花盛開，一株天竹結滿紅豆相襯，背後銀絲嵌隸書七言詩句，詩情畫意盡在其中。

清代中期以後，百寶嵌工藝進一步發展，除常見各式盒、筆筒之外，日常生活用品普遍增多，如鏡奩、爹斗、冠架、挂屏、屏風、櫃等。例如：檀香木百寶嵌海屋添籌圖盒，下有海水波濤，上有彩雲繚繞，托起一座殿閣。一隻仙鶴，口銜一籌飛翔，作"海屋添籌"之意，色彩調配極具意境。紫檀百寶嵌迎壽圖海棠式盒，用紅、藍寶石，珊瑚，琥珀，壽山石，象牙，螺鈿等珍貴材料，在蓋面鑲嵌成流水浮雲，一老者騎鶴逐漸下落，岸邊二老者拱手相迎，身後麛鹿相隨，宛若仙境一般，盒壁鑲嵌有雲龍戲珠紋。這些百寶嵌製品用料極精，刻畫細膩，色彩豐富，反映出宮廷百寶嵌的基本特色。

中國珐琅器概述

珐琅器是以金屬製胎，用石英、長石爲主要釉料燒煉成的五彩繽紛的珐琅製品，按製造方法和工藝特點，可分掐絲珐琅和畫珐琅兩大類。掐絲珐琅，俗稱"景泰藍"，是起綫珐琅的主要品種，起綫珐琅還包括鏨胎起綫和稍後出現的錘鍱起綫兩種，掐絲珐琅和鏨胎起綫珐琅大約在十三世紀中葉從阿拉伯地區傳入中國。畫珐琅，俗稱"洋瓷"，大約十七世紀初由歐洲傳入中國。這兩種不同特點的珐琅製品傳入中國後，其技術也隨之爲中國工匠所接受，并很快製作出具有中國民族風格的工藝品。由于金屬胎珐琅器製造工藝複雜，釉料配製和燒造技術難度大，生產成本高，所以這種珍貴的珐琅製品開始很長時期主要在宮廷中製作，供皇帝及皇室享用。也有少量珐琅器作爲貴重禮物由皇帝恩賜給王公大臣，民間則很少流傳。

一、中國掐絲珐琅的歷史淵源

中國掐絲珐琅起源于何時，歷史上無明確記載，最早的文獻是元末明初人曹昭所著《格古要論》，其中"窯器論"説："大食窯，以銅作身，用藥燒成五色花者，與佛朗嵌相似 又謂鬼國窯。"所謂"大食窯"已被諸多學者確認爲金屬胎掐絲珐琅器。《格古要論》在明初即已有刊行，書中所記諸多內容應源于元代後期。因此，對探討珐琅器的淵源十分重要。

所謂"佛朗"即"拂菻"音的轉譯，是唐宋以來中國對東羅馬（拜占廷）帝國的稱謂。公元4世紀，以君士坦丁堡爲中心的拜占廷帝國，繼承了古羅馬和古埃及的藝術，其中包括後世很盛行的銅胎掐絲珐琅工藝，并在此基礎上創造出具有濃厚東方色彩的拜占廷風格的珐琅器，其表現主題主要是宣揚王權和基督教神學。公元12世紀前後，又興起了鏨胎起綫珐琅，而此時掐絲珐琅製作工藝則已傳入西亞地區，并盛極一時。目前，保存在因斯布魯克裴狄南德拉姆美術館的銅胎掐絲珐琅盤，從其銘文可知是公元12世紀前半葉由兩河流域阿米德地方製造的，它是研究大食窯器歷史的重要例證。

所謂"大食"，是唐宋以來中國對阿拉伯地區的泛稱，當時兩地往來甚密。《格古要論》中說與大食窯器（即掐絲珐琅）相似的佛朗嵌祇能是鏨胎起綫珐琅。二者製造技術基本相同，僅爲掐絲起綫和鏨胎起綫的區別，如不仔細觀察，甚至難以分辨。這種直接在金屬胎上鏨花起綫，再填入釉料燒出來的珐琅器，釉料如鑲嵌般填到胎體上，故後人習慣上稱之爲"嵌珐琅"。《格古要論》既云大食窯器與佛朗嵌相似，那麼可以推測，佛朗嵌當先于大食窯器傳入中國，祇是目前尚未見到可

13

靠的實物例證。

此外，有些學者認爲，根據日本正倉院收藏的唐代銀鏡，背飾有掐絲起綫的三色花瓣，青海都蘭出土的吐蕃時期金胎掐絲淡藍釉牌飾，説明珐瑯工藝早在唐代時即已傳入。但二者均爲孤例，且釉的成分未經測試，尚無法和後世的中國珐瑯製作聯繫起來。

二、元代掐絲珐瑯的風格與特點

中國製造的掐絲珐瑯，目前有年款可考的，始于明代宣德年間。但從現存實物分析，元代應已有製造。故宮藏有一批掐絲珐瑯器，釉料肥厚，釉色純正，明快亮麗，尤其是絳黄、草綠、葡萄紫、寶石藍等釉色，猶如水晶般晶瑩。這種半透明的珐瑯釉，在明代和清代各時期有準確年款的珐瑯器物中均未見過。這批器物不僅均不見原器的年代款識，且多被後世重新改造過。其中有的被改頭換足，器型大變；有的則用幾件不同器物，截取不同部位拼接成新的器型。因此，出現了一件器物通體釉色不一，圖案變化异常的現象。這些器物多被刻上“大明景泰年製”款。

掐絲珐瑯纏枝蓮紋獸耳三環尊，器型高大，通體以淡藍色釉爲地，飾彩釉纏枝蓮紋。此器周身各部分釉色全然不同，腹部釉料肥厚，色澤純正亮麗，部分呈半透明狀。而頸和口内、外的釉色不純，缺乏光澤，淡藍地尤顯灰暗，砂眼亦多，仔細觀察則不難看出作品是用舊器重新改造而成。以大花朵爲主，組成纏枝花卉紋，花蕊有稍許變化，近足部裝飾蓮瓣或蕉葉紋一周。這些藝術表現方法，同元代青花瓷器的特徵幾乎完全一致。而纏枝的花蔓間生長出飽滿花苞的紋飾，同元代保持波斯風格的“納石失”織金錦極相似。雖然重新配製了高頸、銅底，但從尊的主體部位仍可看出原應爲罐。掐絲珐瑯纏枝蓮紋龍耳瓶，釉色光潔明快，具有水晶般透明感，但整體圖案頗不協調，仔細分析，該器應是由碗、瓶等舊器截取不同部位拼接組合而成。尤其是腹、頸的銜接處凸起一周蓮瓣，上面的釉色不純，填料不滿，更缺乏透明感，顯然是因配器時此處口徑銜接不吻合而采取的遮掩措施。全器所截部位的造型、圖案及釉色均明顯有别于明代風格。

以上兩件器物是利用舊器重新改製成新作的兩種不同類型。而這種亮麗晶瑩的釉料始于何時，來自何處呢?從器物局部的造型、紋飾看均具有元代特點，據此推測，應是元代阿拉伯工匠帶來技術和釉料，指導中國工匠製造出的珐瑯器。

成吉思汗建立蒙古帝國以後，蒙古軍隊曾席捲歐亞大陸，在野蠻的征戰中，唯技術工匠幸免于難。蒙古統治者把俘虜的專業技術工匠作爲工奴，爲其服務。元代在全國建立了統一政權之後，隨着水、陸交通的開拓，中國人與中亞、阿拉伯、歐洲和非洲等地區的商人和手工業者往來通商，當時的大都、泉州、廣州、杭州等地，聚居着來自不同國家的身懷絕技的手工業者，他們傳授了本國流傳的精湛技藝，兩河流域流行的金屬胎珐琅製品自然也隨之傳入中國。可以設想，阿拉伯工匠帶來了燒造掐絲珐琅的技術和主要原料。從現存幾件元代珐琅器的精美和華貴看，祇能是在内府指導中國工匠爲皇家燒造的。中國工匠在學習、掌握了燒造珐琅的技術後，爲符合中國統治者的審美要求，生產出了具有民族風格的掐絲珐琅製品，但在紋飾圖案中仍保留着一些阿拉伯的藝術韵味。可惜的是這批製品被後世重新改製，不僅毁壞了許多元代珐琅器的本來面貌，也使人們長期以來對于掐絲珐琅的歷史在認識上產生了很大偏差。

三、明代起綫珐琅的風格與特點

元末，連年戰爭，使剛剛興起的掐絲珐琅工藝又日趨衰落。明王朝建立初期百業待興，無暇顧及珐琅器的生產，至宣德時期方得到恢復和發展。現存珐琅器中年款最早的就是"宣德年製"。現存珐琅器中，有明代款識者，僅見"宣德"、"景泰"、"嘉靖"、"萬曆"四朝年款。

（一）明早期起綫珐琅

明早期珐琅器以宣德時期爲代表，有鏨胎起綫珐琅和掐絲珐琅兩種。鏨胎起綫珐琅，也稱"鏨花起綫珐琅"，僅見纏枝蓮紋圓盒一件。該盒胎體厚重，在胎上直接鏨出花紋輪廓綫後，填施淺藍色釉爲地，飾彩釉纏枝蓮紋。綫條粗細不匀，顯露鏨刻痕迹。款識不甚規範。通體釉色穩重純净，顯係宣德時代的特徵。值得注意的是，該器于乾隆年間入庫時，于盒内置一黄紙簽，簽上墨書"由太僕寺撤下"。太僕寺係元、明、清三代皇家養馬的機構，其地址多有變更，但該器曾長期置于太僕寺内，直到乾隆時期才被徵入宮禁。

宣德時期的掐絲珐琅器遺存數量較多，常見有盤、碗、杯、盞托、盒、觚、瓶、罐及燈座等。其共同特點是胎厚體重，多以淺藍釉爲地，亦有少量用灰白釉爲地，上壓寶石藍、鷄血紅、硨磲白、墨緑、草緑和嬌黄等多彩釉，組成纏枝花卉、瓜蝶或雲龍戲珠紋。釉色純正穩重，填釉較飽滿。有些器物上將黄緑釉混合調配，具有暈色效果，但缺乏元代釉色那種晶瑩透亮感。其圖案以纏枝蓮作爲主體裝飾，多以單綫勾勒枝幹，再用曲綫串聯不同色彩盛開的花朵，花頭碩大，在多層次的花瓣襯托下，中心形成桃形花蕊。這種纏枝圖案的組合已成定式，對後世產生了很大影響。也有以單綫勾勒枝幹再連綴多朵小花者，頗顯新穎。并有采用雙綫勾勒者，但不甚流行。

宣德珐琅的款識有兩種，一是在器物的局部用珐琅釉燒成，對這種款須注意珐琅釉的顏色與原器是否渾然一體，如無不同則爲原款，如有别，則是後加款或改款。另一種款是在銅胎上鑄款或鏨刻款，多置于器物底部。款的形式有"宣德年製"四字款、"大明宣德年製"六字款和"大明宣德御用監造"八字款，還有僅用"宣德"二字者，但很少見。八字款標明器物是由明朝内府的御用監製造，御用監是負責皇帝御用品生産的管理機構。其他許多相類的珐琅器雖未注明生産地，但御用的珐琅器，無疑均出自御用監管轄下的工匠之手。款之書體以楷書居多，間有隸書和篆書，其處理方法有陰綫雙鈎、單綫刻劃、鎸刻陽文和鑄款。對這些有宣德款的器物，不能單靠款識斷代，還要視其紋飾、釉色特點，進行綜合性分析，方可鑒别出其準確的時代。有些器物雖然没有年款，但根據宣德時代珐琅的基本特徵和風格，仍可判定是宣德或宣德以前的明代早期製品，如此鑒定出的真器，則可爲鑒别宣德款珐琅器的真僞提供重要的依據和實物例證。

（二）景泰年款器及明中期的起綫珐琅

有"景泰年製"款的掐絲珐琅器遺存數量頗多，故珐琅器歷來有"景泰藍"之稱。明末孫承澤著《天府廣記》中載：後市"在玄武門外，每月逢四則開市，謂之内市"。交易奇珍异寶"至内造如宣德之銅器、成化之窑器、永樂果園廠之髹器、景泰御前作坊之珐琅，精巧遠邁前古，四方好事者，亦于内市重價購之。"從這段記述可知，景泰御前之珐琅器已被視爲"時玩"，可與宣德之銅、成化之瓷、永樂之漆競相媲美，似乎景泰之珐琅器已發展到了"黄金時代"。此説曾令人感到費解，因爲景泰帝朱祁鈺是在正統帝被蒙古軍入侵掠走後才登基的，在位不足七年。這期間内憂外患不斷，國力衰敗，各類御用器的生産均陷入困境。在這種形勢下，成本高、工藝難度大的金屬胎起綫珐琅器何以能獨得巨大發展呢?其間奥秘，通過近幾年對大量"景泰年製"款珐琅器的分析研究，才獲得了突破性的發現。原來諸多"景泰年製"款的珐琅器，是利用早期遺存的珐琅舊器重新改製而成，也有部分是後世慕名仿造改款的。

關于利用舊器重新改製的珐琅器，在論述元代時已舉過兩例。這兩件器物改製時，爲了更新器型加配了部件，新部件的設計很見功力，總體幾乎看不出什麽异樣，且造型更加美觀，故長久以來未被識破。但仔細觀察，後配之部分釉色灰暗，砂眼亦多，填料不飽滿，遠遜于元代水平，亦不似宣德時釉色純正穩重。這種新組配的珐琅器顯現出景泰的特點。事實表明"景泰御前作坊之珐琅"的聲譽，是建立在前人基礎之上的。

改製的珐琅器，是在内府中由御用監嚴格控制進行的，除參與者外，鮮爲人知，以致"景泰御用作坊之珐琅"名氣越來越高。清代時常把"萬曆年製"的珐琅器改成"景泰年製"款。改款的方法有兩種，一是把原款挖掉，重新在銅胎上陰刻"大明景泰年製"；二是用很薄的鎏金銅片，陰刻花紋和景泰款，然後焊在原款處，造型、紋飾和釉色仍保持萬曆時期珐琅的原貌，較易識別。清代也多有仿製"景泰年製"款的珐琅器，據《造辦處各作成做活計清檔》載："乾隆三十二年二月初四日，催長四德、五德來說，太監胡世杰傳旨：'多寶格内着仿古樣款掐絲珐琅瓶一件、寶瓶一件、罐一件，俱要大明景泰陽文款。'"這類仿造事例頗多，但其掐絲工藝、釉料呈色等均屬清代特點。那麼真正的完整的景泰珐琅又具有什麼特點呢？通過對實物的對比分析，掐絲珐琅花蝶紋香筒是一件比較近似景泰風格的作品。筒外部以深藍色釉爲地，顏色略顯灰青。地上用珊瑚紅、草綠、深藍、薑黄和甜白等彩釉描繪花蝶，形象寫實，與前期那種圖案式的裝飾方法迥異。珐琅釉色尚不够純正，表面缺乏光澤，填釉雖然飽滿，却多細小砂眼。總之，這件香筒的圖案風格及釉料特徵均不同于早期之作，屬于宣德之後、萬曆之前的過渡時期的製品，可能即是"景泰御前作坊之珐琅器"。

（三）明晚期的起綫珐琅

明嘉靖時期，雖然城市經濟得到發展，但銅胎珐琅的燒造却不十分景氣。

萬曆年間，掐絲珐琅的製造工藝有新的發展，其風格、技巧和釉色運用有明顯變化。以淺淡釉色爲地的製品顯著增多，擅長運用紅、藍、白、黄、綠五種色釉作圖案組合裝飾，色彩鮮明，對比强烈，十分醒目。珊瑚紅、青金石藍呈色獨特，松石綠釉則是此時出現的新色釉。

紋飾題材多有變化，當時工匠擅長運用雙鈎綫的手法表現折枝小花等，圖案較繁密。早期那種以單綫勾勒的大朵纏枝花卉爲主題的紋飾顯著減少，龍鳳、海馬、流雲、瑞獸、八寶和寓意吉祥長壽的圖案增多，也有少量表現山水和人物故事的圖紋出現，顯示出圖案題材的廣泛。

年代款識的表現方法很有時代特徵，大多在器物底部的中心處用彩釉組成長方形如意雲頭紋一周，内施綠釉地，填紅釉"大明萬曆年造"六字楷書款或"萬曆年造"四字款。這種在款識外圍進行裝飾的方法是其他時期所不見的。其後，有將萬曆年款改作景泰年款的，而款的周邊仍然保留如意雲頭紋長方框，框内鏟掉原款，再陰刻"景泰年製"款。還有的在彩釉如意雲頭紋長方框内焊接一層極薄的鍍金銅片，上面陰綫刻雙龍抱"景泰年製"款。

明晚期，還流行一種工藝水平粗糙的珐琅器，胎薄體輕、填釉不甚飽滿、釉色灰暗、砂眼較多，但體積較大，多見盆、盒、碗、盤、爐等器物，應是民間燒造的。

四、清代起綫琺瑯的風格與特點

清代至康熙時期，政權已得到鞏固，經濟有了發展，一度停滯不前的御用器的生產開始全面復興。到了雍正、乾隆時期，各類器物的生產出現了新的高潮。但是嘉慶以後，隨着經濟的衰退和列强的入侵，御用器的生產再次落入低谷。起綫琺瑯工藝也是在這種背景下復興、繁榮和日趨衰落的。

（一）清早期起綫琺瑯

清代早期起綫琺瑯是以康熙時期掐絲琺瑯器爲代表的，主要是由内廷琺瑯處承造的皇家御用品。康熙前期的掐絲琺瑯器，銅胎成型規矩，掐絲細膩流暢，以小型器物居多。圖案多以單綫勾勒花紋輪廓，再填以淡藍色釉爲地，上壓彩釉纏枝蓮紋。釉色有鷄血紅、蘋果綠、深藍、菊黄、碑碌白、茄皮紫等，其色彩乾澀灰暗，填料不飽滿，釉面凹凸不平滑，缺乏光澤。這些現象顯然是由于釉料配製方法和燒造技術不高的緣故造成的。

康熙中晚期的掐絲琺瑯銅胎成型規矩，掐絲細膩流暢，琺瑯釉呈色純净而有光澤。圖案仍以纏枝蓮紋爲主，還出現了龍、螭、夔鳳等紋樣，表現方法多采用雙鈎綫。器物表面光滑，砂眼亦少，燒造技術已達到成熟階段。

這一時期有的造型、圖案和釉色均仿造"景泰御前作坊之琺瑯"的特點，有的器物上還鏨刻"景泰年製"款。這些器物釉色較純正，幾可亂真。但掐絲細膩，填料飽滿，砂眼亦少，尤其是銅胎成型和掐絲工藝，采取了衝壓和拉絲等新技術，較明代有顯著的進步。

（二）清中期起綫琺瑯

起綫琺瑯器中很少見到有雍正年款的，但在《造辦處各作成做活計清檔》中，有雍正前期曾製造掐絲琺瑯器的記録，也有仿造景泰琺瑯瓶的記載，衹是目前尚不能從遺存的實物中把它們識别出來。

乾隆時期起綫琺瑯器的燒造出現了新的繁榮景象。當時，造辦處琺瑯作坊生產出許多杰作，廣州地區製造的起綫琺瑯亦有新的突破，揚州和蘇州地區生產的掐絲琺瑯也毫不遜色。

這一時期燒造大型起綫琺瑯器的技術迅速提高，宮廷中陳設的大屏風、寶座以及成組的佛塔，都是前所未見的新產品。大型琺瑯器的燒造不僅需有大型的窑爐，還需控制銅胎加熱後不會變形，并要嚴格掌握通體釉料呈色一致。乾隆時期，對于這類技術的掌握和控制，已達到了爐火純青的程度。乾隆三十九年（公元1774年）和四十七年（公元1782年），分兩批燒造的十二座琺瑯喇嘛塔，高均在230厘米以上，每座塔的造型各不相同，釉色各异，圖案富于變化。掐絲珐琅五岳圖屏風，分五扇，高近3米。畫面分別刻畫中國五大名山，巍峨雄偉。這些杰作均爲造辦處製作，充分展示出乾隆時期宮廷製作起綫珐琅的輝煌成就。

把古代著名書畫家的作品巧妙地運用到掐絲珐琅的紋飾中，是乾隆時期的一種新嘗試。廣州製造的錘鍱起綫珐琅五倫圖屏風，畫面上的山水花鳥色彩艷麗，畫法上多采用暈色的方法，渲染出景物的色彩濃淡和遠近層次，并大量運用粉紅色和草綠色，突出了桃紅柳綠的春天景象。工藝上采取了錘鍱起綫和細部掐絲相結合的方法。這種工藝是廣東珐琅匠人的新創造。鏨胎珐琅四友圖屏風，分三扇刻畫松、竹、梅、蘭，色彩凝重，突出了恬静清雅的意境。這些作品極力追求繪畫藝術與珐琅工藝的完美結合，達到了理想的效果，是清中期起綫珐琅製品的重要成就。

乾隆皇帝嗜古，常要求把古代青銅器的造型、紋飾等運用到珐琅器的製作中。儘管仿古器物多有所本，但仍展現出珐琅工藝的魅力。以各種動物形象造型的像生器增多，除傳統角端、獅子、仙鶴等式樣外，又出現了鳧、犧、牛、天鷄等多種形象。用掐絲珐琅工藝仿造瓷器，也是前所未見的。掐絲珐琅雲龍紋天球瓶，通體以白釉爲地，用淺藍釉暈染出浮雲，一條紅色巨龍盤旋于流雲之中，氣勢磅礴。這是仿造瓷器中青花釉裹紅的效果，增加了金屬胎起綫珐琅的藝術表現力。

此外，乾隆皇帝特別喜好明代景泰珐琅，并予以很高評價，有時甚至對造辦處燒造的珐琅器表示不滿意，認爲“舊珐琅顏色甚好”。因此仿造“景泰御前作坊之珐琅”成爲造辦處珐琅作的重要項目，在《造辦處各作成做活計清檔》中，記述仿造“景泰”珐琅的事例頗多。這種仿造可分兩種類型：一是按舊器仿造，要求造型、圖案、釉色與原器相同；二是新設計造型、圖案和釉色，底部刻“景泰年製”款。前者仿造得極其相似，幾可亂真，後者則按照新的創意製造，采用較多的新釉色，與舊器全無相似之處。

乾隆時期還用掐絲珐琅和畫珐琅相結合的工藝製作出不少精品。結合的方法有兩種類型：其一把二者直接燒在一起，要求嚴格控製燒造溫度，否則呈色會出現問題。其二分別燒造二者，然後把畫珐琅鑲到掐絲珐琅上，要求鑲嵌焊接不留痕迹。這兩種類型製作都很精美，其中用黃金爲胎者更顯珍貴。

總之，乾隆時期起綫珐琅工藝相當發達，所生產的珐琅器應用于宮廷生活各個方面。造型式樣繁多，圖案花紋富于變化，出現了桃紅色新色釉和錘鍱起綫的新技法。生產地域擴大，廣州、蘇州、揚州都是起綫珐琅的重要產地，被譽爲“廣造”和“蘇造”，各具特點。揚州地區爲宮廷“樂壽堂”室內裝修燒製的珐琅片古樸典雅，受到好評。珐琅名家楊世雄技藝精湛，被世人譽爲“珐琅王”。這些輝煌成就充分展示了乾隆時期起綫珐琅燒造的高超水平。

（三）清晚期的起綫珐琅

嘉慶時期，起綫珐琅製作開始衰落，遺存數量很少，僅見碗、盤之類器皿，造型簡單，頗顯笨拙。掐絲較粗壯，多采用鏨胎起綫的方法。釉色仍以淺藍地者居多，飾深藍、紅、黃和豆綠色組成的幾何紋，圖案和色彩較呆板。這種狀況延續到道光時期，更是江河日下，直至起綫珐琅器消失。1840年鴉片戰爭之後，具有鮮明民族風格的金屬胎起綫珐琅製品曾受到西方人的青睞，從而刺激了民間作坊的生產，生產稍許恢復。

同治年間製作的掐絲珐琅器銅胎薄，器型規矩，以淺黃色釉爲地者居多，上壓紅、綠、黃、藍色釉纏枝花卉和折枝花等。此後，皇家設立了印鑄局，用掐絲珐琅技術製造獎杯、獎章等。同時，北京地區還出現了專營銅胎掐絲珐琅的私人商號、店堂，諸如老天利、寶華生、靜遠堂、志遠堂、德興成等，其產品風格大同小异。

清晚期的掐絲珐琅器造型以各式瓶爲主，式樣多有變化。但有些器物上下比例不諧調，有頭重脚輕之感。由于多借助于機械成型，且金屬拉絲技術已有發展，致使這一時期的掐絲珐琅器胎體輕薄，銅絲掐成的綫條均勻、纖細、流暢。填釉飽滿，釉面光滑明亮，砂眼少。釉色變化多，有用赭紅、淡黃、蘋果綠、灰白和墨黑等釉色爲地者，上壓彩色花紋，而前期那種淺藍釉爲主色調的作品減少。裝飾多以折枝花卉爲主，亦常用整株的花卉和花鳥、蟲魚作圖案。花朵和花葉翻捲轉折的層次較多，注重釉質的暈色效果，有較濃厚的西洋韵味。

清晚期仿"景泰年製"的作品，其造型、掐絲和釉料色彩均與原器相差甚遠，給人以輕浮之感。"大明景泰年製"款的處理過于拘謹或缺乏章法，極易識別。鍍金艷黃，浮光閃亮，有別于傳統的用金方法。

五、清代畫珐琅的風格與特點

畫珐琅俗稱"洋瓷"。據《明史·外國列傳》載："古里，西洋大國　永樂六年，命中官尹慶奉詔撫諭其國，賚以彩幣。其酋沙米的喜，遣使從慶入貢　貢物有寶石、珊瑚珠、拂郎　"古里，在明代是印度喀拉拉邦北岸的一個國家，經古里獻給中國皇帝的"拂郎"面貌若何，已難知曉。目前，僅見明代金屬胎起綫珐琅製品，被稱作"大食窑器"。而金屬胎畫珐琅器，則是17世紀中葉，在西方傳教士呈進歐洲畫珐琅的影響下，才于康熙年間在宮廷內珐琅處開始燒造，但燒造技術不高，釉料呈色不穩定。康熙五十八年（公元1719年），聘請法蘭西畫珐琅藝人陳忠信來京，在內廷珐琅處指導燒造畫珐琅器。其式樣、圖案主要是中國風格，少有西方畫珐琅的特點。

清王朝建立初期，曾一度禁止海外貿易，至康熙二十二年（公元1683年），始開海禁。當時，祇允許外國商船進入粵海關一處，這使廣州地區最先接觸到西方盛行的畫珐琅製品。廣州的產品多保留着西方文化的韵味。此後，皇室所需的畫珐琅器不僅向粵海關徵定和購買，而且内廷所需的畫珐琅匠人也多由粵海關選送。

當時的蘇州是手工業發達的商業城市，畫珐琅工藝約于雍正年間傳入蘇州地區，在深厚的工藝基礎上，蘇州生產的畫珐琅作品風格獨具，從而形成了内廷珐琅處和廣州、蘇州三大畫珐琅生產中心，產品各有特點，當時重要產品均需貢進内廷。

（一）康熙時期的畫珐琅

康熙年間生產金屬胎畫珐琅的機構主要是内廷設立的珐琅處。最初生產畫珐琅的技術尚不成熟，器物體積小，釉色少，顏色也不純净。例如畫珐琅山水圖雙耳爐，小巧玲瓏，造型秀美，繪畫亦精，但釉色灰暗無光，色彩互相浸染滲透，畫面模糊。這類疵病顯然是由于燒煉技術不成熟的緣故。另一件畫珐琅仙人騎獅圖梅瓶，畫面頗有層次，色彩亦較清淡典雅，唯釉色不純，整體凹凸不平，綫條不清晰。按其造型特點和圖案風格，應是早期畫珐琅製品。

康熙後期的畫珐琅釉色增多，顏色純正鮮艷，圖案清晰，顯示出燒造畫珐琅的技術已達到較高水平。作品多以黄釉作地，亦有少量白釉或淡藍釉爲地者，上壓紅、粉紅、綠、草綠、寶藍、淺藍、赭和紫等彩釉，畫纏枝花卉、折枝花，其中有玉蘭、牡丹、茶花、桃花、荷花等紋樣，花間有的還綴以蝴蝶、蜜蜂、錦鷄、鳥，增添了畫面的活力。畫風極細膩，色彩協調，許多圖紋都出自宫廷中名畫家之手筆。器型種類增多，除碗、盤外，常見唾盂、香盒、花瓶、鼻烟壺等生活用品，畫珐琅牡丹紋海棠式花籃更顯新穎別致。還用畫珐琅技術仿造宣德銅爐，釉色光亮，呈鱔魚黄色。這些器物底部多用白釉或黄釉爲地，中心處以藍或紅釉畫出雙綫方框或圓圈，内署“康熙御製”款，字體多爲楷書，有的近似于隸書。

新興的畫珐琅色彩鮮艷明快，豪華富麗，深得康熙皇帝的賞識，凡精美之作，多在器物上署“康熙御製”款。從文獻記載中可知康熙對畫珐琅器的濃厚興趣，他不僅命西方傳教士畫家和宫廷内畫家爲珐琅處畫珐琅器，晚年還從法國召來燒畫珐琅的匠人爲其服務。但所有繪畫都必須符合皇帝的旨意，皇帝不喜歡西洋油畫的風格，所以，康熙時代的畫珐琅都保持着中國傳統繪畫的特點。

（二）雍正、乾隆時期的畫珐琅

雍正、乾隆時期是畫珐琅生產最繁榮的階段。内廷生產畫珐琅的機構珐琅處已爲造辦處珐琅作所取代，廣州、蘇州亦開始了畫珐琅的生產。產品數量增多，式樣不斷翻新，圖案、釉色有新的發展和變化。

雍正皇帝對新興的畫珐琅情有獨鍾，對于燒造水平不高的作品，雍正常常提出批評意見。在同時期的掐絲珐琅製品中，很難看到"雍正年製"款，而在畫珐琅中則不僅有署"雍正年製"的，還出現了新的釉色，特別是以黑色爲地、上壓彩色花紋的作品是前所未見的。這種黑釉是雍正時期燒成的，所以分外受到皇帝的青睞，即使燒製其他彩釉作品，在局部也可看到繪製黑釉花紋的現象。這種運用黑釉的手法是其他時期罕見的。

雍正時期的畫珐琅器仍以小型器物居多，造型都很別致，釉色亦鮮亮。卵形小壺、成套杯盤、多層式燭臺、天球式冠架、多孔式花插、仙桃式洗、筒式熏爐、八寶法輪等都是前期畫珐琅中少見的新鮮式樣。紋飾圖案除纏枝花卉外，仍以草蟲、花鳥爲主要題材，用蝙蝠、桃實、柿子等寓意吉祥的圖案顯著增多。畫風極細膩，但有些紋飾則過于繁瑣，雍正皇帝對此亦曾表示過不滿。這時的作品多在器底中心用楷書或仿宋體署"雍正年製"印章式款，款有紅釉或藍釉兩種。亦有少數把款置于器物表面的圖案之中。

乾隆時期的畫珐琅工藝，發展突飛猛進。皇帝不僅親自詢問造辦處珐琅作的生產情況，還經常對產品的燒造提出意見，對于技藝高超的匠人則給予特殊的獎勵。宮廷中的著名畫家多次參予畫珐琅的生產。這個時期生產的畫珐琅器物數量多、質量高，前所未見的新作品源源不斷地涌現出來。

首先，燒造大型器開創了畫珐琅生產的新領域，許多插屏、挂屏、熏爐、畫缸、大瓶等都是用于宮殿內的重要陳設品。這些器物不僅形制高大，而且製造十分精緻，與高大的建築交相輝映，更顯得氣勢恢弘。

其次，紋飾題材豐富，紋樣中有纏枝花、折枝花、四季花卉、鳥蟲异獸和幾何紋圖案。繪畫中的山水人物題材是以前珐琅器中少見的，畫面處理多采取色彩渲染的手法，增加了層次感和立體效果。諸如嬰戲圖、母嬰圖、仕女圖、歲朝圖、慶壽圖等，十分注重人物神情的刻畫。同時大量出現了對西洋景物和人物的描繪，頗有幾分西方油畫的風格。這些作品中，有的是出自宮廷畫家和西方傳教士畫家之手，是畫珐琅中極具功力的作品。

其三，仿西洋式樣製造的畫珐琅器別開生面。在此之前，畫珐琅製品中很少出現西洋風格的作品，而這個時期刻意仿造西洋式的造型和紋飾的畫珐琅製品特點很突出。這類作品多是廣州地區製造，由粵海關官員進獻給皇帝的貢品。

其四，廣東地區製造的貢品中還有一種獨具特色的工藝，即在金屬胎上貼金花或銀花，表面再罩上透明的藍色或綠色珐琅釉，金花或銀花從釉下透出，表裏呼應，分外晶瑩。有的器物釉下沒有金花或銀花，純以透明的釉色展現獨特的魅力。

（三）清晚期的畫琺琅

嘉慶初年，還保持着乾隆時代的某些遺韵，畫琺琅器的生產也有幾分成就。鍍金畫琺琅牡丹紋執壺，器型精美，釉色艷麗，顯示出較高的燒造琺琅工藝水平。此後，隨着國力的衰退，畫琺琅器的生產已然是日薄西山，雖曾一度出現回光返照，但畢竟是氣息奄奄，無力回天了。

目　　錄

竹　雕

西夏至明（公元一〇三八年至公元一六四四年）

頁碼	名稱	時代	發現地	收藏地
3	竹雕庭院人物	西夏	寧夏銀川市西夏陵區6號陵	寧夏博物館
3	竹雕松樹形壺	明		故宮博物院
4	竹雕松鶴筆筒	明		南京博物院
5	竹雕松鼠紋盒	明		首都博物館
6	竹雕劉阮入天台香筒	明	上海寶山區顧村鎮朱守城夫婦墓	上海博物館
7	竹雕仲謙款香筒	明		南京博物院
7	竹雕五鬼鬧判花筒	明		中國國家博物館
8	竹雕竹枝筆筒	明		故宮博物院
8	竹雕山水樓閣筆筒	明		上海博物館
9	竹雕庭園讀書圖筆筒	明		上海博物館
9	竹雕仕女圖筆筒	明		故宮博物院
10	竹雕老人挖耳筆筒	明		故宮博物院
11	竹雕山水人物筆筒	明		故宮博物院
12	竹雕佛手	明		故宮博物院
12	竹雕殘荷葉洗	明		臺北故宮博物院
13	竹雕騎馬人	明		故宮博物院
14	竹雕張果老騎驢	明		故宮博物院
15	竹雕劉海戲蟾	明		故宮博物院
15	竹雕寒山拾得像	明		故宮博物院
16	竹雕三士戲象	明		
17	竹雕童子戲牛	明		故宮博物院
18	竹雕漁翁	明		故宮博物院
19	竹根雕漁翁	明		南京博物院
19	竹雕麒麟	明		故宮博物院
20	竹雕飛熊	明		故宮博物院

1

清（公元一六四四年至公元一九一一年）

頁碼	名稱	時代	發現地	收藏地
21	竹雕葫蘆式盒	清		故宮博物院
22	竹雕瓜式盒	清		故宮博物院
22	竹雕瓜式盒	清		南京博物院
23	竹雕饕餮紋三足雙耳鼎	清		故宮博物院
24	竹根雕三足鼎	清		故宮博物院
24	竹雕龍紋尊	清		故宮博物院
25	竹雕提梁卣	清		故宮博物院
26	竹雕獸面紋扁壺	清		故宮博物院
26	竹雕龍柄匜	清		故宮博物院
27	竹雕提梁壺	清		故宮博物院
27	竹雕四童捧足雙獸銜環瓶	清		南京博物院
28	竹雕吞江醉石圖香筒	清		廣東民間工藝博物館
28	竹雕文姬歸漢圖花筒	清		故宮博物院
29	竹雕二喬并讀圖香筒	清		廣東民間工藝博物館
29	竹雕留青仙人圖臂擱	清		故宮博物院
30	竹雕松蔭高士臂擱	清		故宮博物院
30	竹雕荷花螃蟹臂擱	清		故宮博物院
31	竹雕魚躍圖臂擱	清		故宮博物院
31	竹雕環佩紋臂擱	清		故宮博物院
32	竹雕竹林七賢筆筒	清		故宮博物院
33	竹刻祝壽圖筆筒	清		故宮博物院
34	竹雕二喬并讀圖筆筒	清		上海博物館
34	竹雕松蔭迎鴻圖筆筒	清		上海博物館
35	竹雕劉海戲蟾筆筒	清		中國國家博物館
35	竹雕竹林七賢筆筒	清		天津博物館
36	竹雕樓臺人物筆筒	清		故宮博物院
37	竹雕狩獵圖筆筒	清		故宮博物院
38	竹雕竹林七賢及八駿圖筆筒	清		故宮博物院
39	竹雕竹林七賢筆筒	清		南京博物院

頁碼	名稱	時代	發現地	收藏地
39	竹雕滾馬圖筆筒	清		故宮博物院
40	竹雕三老玩月筆筒	清		南京博物院
40	竹雕桐蔭煮茗圖筆筒	清		上海博物館
41	竹雕醉仙圖筆筒	清		故宮博物院
41	竹雕荷杖僧筆筒	清		故宮博物院
42	竹雕春郊牧馬圖筆筒	清		故宮博物院
43	竹雕竹林圖筆筒	清		故宮博物院
43	竹雕白菜筆筒	清		故宮博物院
44	竹雕秋蟲白菜筆筒	清		故宮博物院
45	竹雕洛神圖筆筒	清		天津博物館
45	竹雕詩文筆筒	清		廣東民間工藝博物館
46	竹雕牧牛圖筆筒	清		故宮博物院
46	竹雕白菜形筆筒	清		故宮博物院
47	竹根雕十六羅漢山子	清		故宮博物院
48	竹雕仙人三多槎	清		故宮博物院
48	竹雕仙人乘舟槎	清		首都博物館
49	竹雕麻姑獻壽槎	清		故宮博物院
49	竹雕桃樹人物槎	清		南京博物院
50	竹根雕人物乘舟槎	清		江蘇省揚州博物館
50	竹編三屜提籃	清		南京博物院
51	紫檀鑲竹雕山水小座屏風	清		故宮博物院
52	竹根雕羅漢像	清		上海博物館
53	竹雕童子戲彌勒像	清		故宮博物院
53	竹雕東方朔像	清		故宮博物院
54	竹雕壽星像	清		江蘇省蘇州博物館
54	竹根雕老人像	清		廣東民間工藝博物館
55	竹雕淵明采菊像	清		上海博物館
56	竹雕采藥老人像	清		故宮博物院
57	竹雕采藥老人像	清		故宮博物院
58	竹雕漁家嬰戲	清		上海博物館
58	竹根雕童子戲牛	清		安徽省博物館
59	文竹嵌玉炕几式文具匣	清		故宮博物院
60	文竹獸面三足爐	清		故宮博物院
61	文竹三足爐	清		故宮博物院

頁碼	名稱	時代	發現地	收藏地
61	文竹蕉葉石紋長方盒	清		故宮博物院
62	棕竹嵌文竹方勝盒	清		故宮博物院
62	文竹嵌染牙佛手式盒	清		故宮博物院
63	文竹雙桃盒	清		故宮博物院
63	文竹柿形盒	清		故宮博物院
64	文竹海棠式雙層盒	清		故宮博物院
65	文竹方瓿	清		故宮博物院
65	文竹仿攢竹方筆筒	清		故宮博物院
66	文竹龍紋竹絲編織筆筒	清		故宮博物院
67	文竹提梁小櫃	清		故宮博物院
68	文竹鑲染牙冠架	清		故宮博物院
68	鑲雙色竹絲文竹冠架	清		故宮博物院

木　雕

漢至西夏（公元前二〇六年至公元一二二七年）

頁碼	名稱	時代	發現地	收藏地
71	木雕紡輪	漢–西晉	新疆且末縣扎滾魯克墓地	新疆文物考古研究所
71	木雕狼紋盒	漢–西晉	新疆且末縣扎滾魯克1號墓地64號墓	新疆維吾爾自治區博物館
72	木雕動物紋盒	漢–西晉	新疆且末縣扎滾魯克1號墓地24號墓	新疆維吾爾自治區博物館
72	彩繪木雕蓮枝燈	魏晉	甘肅武威市涼州區旱灘坡墓群	甘肅省博物館
73	木雕連體雙鳥	南北朝	新疆洛浦縣山普拉古墓群	新疆文物考古研究所
73	木雕鷄冠壺	遼	內蒙古奈曼旗遼陳國公主墓	內蒙古文物考古研究所
74	彩繪木雕花瓶	西夏	寧夏賀蘭縣拜寺口雙塔	寧夏博物館

明（公元一三六八年至公元一六四四年）

頁碼	名稱	時代	發現地	收藏地
76	木雕龍紋冊盒	明	湖北武漢市武昌區龍泉山明代楚昭王墓	湖北省文物考古研究所

頁碼	名稱	時代	發現地	收藏地
75	花梨木嵌螺鈿花鳥長方盒	明		故宮博物院
76	紫檀木百寶嵌三層長方盒	明		故宮博物院
77	紫檀木雕螭紋扁壺	明		上海博物館
77	紫檀木雕花嵌銀絲詩句銀裏蓋杯	明		故宮博物院
78	紫檀木嵌銀絲福壽六方杯	明		故宮博物院
79	紫檀木雕荷葉枕	明		故宮博物院
80	紫檀木雕九虬紋筆筒	明		故宮博物院
81	紫檀木雕魚龍海獸筆筒	明		故宮博物院
82	紫檀木雕花卉筆筒	明		天津博物館
82	紫檀木雕蘭花筆筒	明		天津博物館
83	木雕槅扇門	明		浙江省東陽木雕博物館

清（公元一六四四年至公元一九一一年）

頁碼	名稱	時代	發現地	收藏地
84	黃楊木雕三螭海棠式盒	清		故宮博物院
84	黃楊木雕南瓜形盒	清		南京博物院
85	黃楊木雕東山報捷圖筆筒	清		故宮博物院
85	黃楊木雕蘭靈樹椿筆筒	清		故宮博物院
86	黃楊木雕竹林七賢筆筒	清		故宮博物院
87	黃楊木雕梅竹筆筒	清		故宮博物院
88	紫檀木雕梅雀花插	清		南京博物院
88	沉香木雕漁釣圖筆筒	清		江蘇省蘇州博物館
89	沉香木雕山水筆筒	清		故宮博物院
90	紫檀木雕嵌銀絲觥	清		南京博物院
90	紫檀木雕花兜觥	清		故宮博物院
91	木雕六角形人物宣爐罩	清		廣東省潮州工藝美術研究所
92	木雕百忍堂人物屏	清		廣東省潮州市博物館
93	木雕大龕門肚	清		廣東省博物館
94	木雕十八學士龕門雕飾	清		廣東省潮州市博物館
95	木雕博古花	清		廣東省博物館
96	木雕狀元及第屏門花	清		廣東省博物館

頁碼	名稱	時代	發現地	收藏地
96	黃楊木雕荷花如意	清		故宮博物院
97	黃楊木雕葫蘆	清		故宮博物院
98	紫檀木雕八仙過海圖山子	清		故宮博物院
100	黃楊木雕仿古擺件	清		江蘇省揚州博物館
101	黃楊木雕達摩像	清		故宮博物院
102	黃楊木雕李鐵拐	清		故宮博物院
102	黃楊木雕達摩像	清		故宮博物院
103	黃楊木雕布袋和尚像	清		中國國家博物館
104	黃楊木雕李鐵拐像	清		安徽省博物館
105	黃楊木雕臥榻仕女像	清		故宮博物院
106	黃楊木雕臥牛	清		故宮博物院
106	黃楊木雕牧童騎牛	清		故宮博物院
107	紅木雕童子牧牛	清		安徽省博物館
107	紅木雕臥龍	清		南京博物院
108	樺木百寶嵌花果長方匣	清		故宮博物院
109	紫檀木百寶嵌花卉人物方匣	清		故宮博物院
110	紫檀木百寶嵌花果筆筒	清		故宮博物院
110	紫檀木百寶嵌花鳥筆筒	清		故宮博物院

骨　　雕

新石器時代至東漢（公元前八〇〇〇年至公元二二〇年）

頁碼	名稱	時代	發現地	收藏地
113	骨鏢	裴李崗文化	河南舞陽縣賈湖遺址	河南省文物考古研究所
113	骨雕人頭像	仰韶文化	陝西西鄉縣何家灣	陝西歷史博物館
114	骨雕竹節狀匕	仰韶文化	陝西扶風縣案板遺志	陝西省西北大學歷史博物館
114	骨鐮	河姆渡文化	浙江餘姚市河姆渡遺址	浙江省博物館
115	骨哨	河姆渡文化	浙江餘姚市河姆渡遺址	浙江省博物館
115	骨雕鷹頭像	新開流文化	黑龍江密山市新開流遺址	黑龍江省文物考古研究所
116	鑲綠松石骨雕筒	大汶口文化	山東泰安市大汶口	山東省曲阜市文物局
116	鑲骨珠簪	馬家窰文化	甘肅永昌縣鴛鴦池	甘肅省博物館

頁碼	名稱	時代	發現地	收藏地
117	骨梳	商	山東滕州市前掌大商代墓葬	中國社會科學院考古研究所
117	骨魚	商	山東滕州市前掌大商代墓葬	中國社會科學院考古研究所
118	骨蟬	商	山東滕州市前掌大商代墓葬	中國社會科學院考古研究所
118	雕花骨梳	公元前1000年	新疆哈密市五堡墓葬	新疆文物考古研究所
119	骨雕香熏	春秋	山東濟南市長清區仙人臺遺址	山東大學博物館
119	狩獵紋骨飾	西漢	內蒙古包頭市	中國國家博物館
120	狩獵紋骨飾	西漢	河南陝縣後川漢墓	中國社會科學院考古研究所
121	動物紋骨飾	東漢	陝西榆林市走馬梁漢墓	陝西省榆林市文物管理委員會
122	骨龍首鏟	東漢	陝西神木縣大保當漢墓	陝西省榆林市文物管理委員會
122	狩獵紋骨板	東漢	內蒙古呼倫貝爾市札賚諾爾墓群	內蒙古博物院
123	鹿首骨飾	漢	新疆吐魯番市交河溝北1號臺地28號墓	新疆文物考古研究所

牙　雕

新石器時代至元（公元前八〇〇〇年至公元一三六八年）

頁碼	名稱	時代	發現地	收藏地
127	象牙雕圓形器	河姆渡文化	浙江餘姚市河姆渡遺址	浙江省博物館
127	象牙雕雙鳥朝陽	河姆渡文化	浙江餘姚市河姆渡遺址	浙江省博物館
128	象牙雕鳥形匕	河姆渡文化	浙江餘姚市河姆渡遺址	浙江省博物館
128	象牙雕鳥形匕	河姆渡文化	浙江餘姚市鯔山遺址	浙江省文物考古研究所
129	象牙梳	大汶口文化	山東泰安市大汶口	中國國家博物館
129	玉背象牙梳	良渚文化	浙江海鹽縣周家浜遺址	浙江省文物考古研究所
130	象牙雕夔鋬杯	商	河南安陽市殷墟婦好墓	中國社會科學院考古研究所
131	象牙雕虎鋬杯	商	河南安陽市殷墟婦好墓	中國社會科學院考古研究所
132	象牙魚形飾	商	山東滕州市前掌大商代墓葬	中國社會科學院考古研究所
132	象牙杖首	西周	陝西西安市長安區張家坡西周墓地	中國社會科學院考古研究所
133	象牙梳	西周	北京房山區玻璃河燕國遺址	首都博物館
133	象牙劍鞘	春秋	河南洛陽市東周墓葬	中國社會科學院考古研究所
134	象牙雕雲龍紋金座牌	戰國	山東曲阜市魯國故城東周墓	山東省曲阜市文廟
134	象牙刻虎紋板	西漢	河北滿城縣陵山漢墓	河北省博物館
135	金扣象牙卮	西漢	廣東廣州市象崗山南越王墓	廣東省廣州南越王墓博物館

7

頁碼	名稱	時代	發現地	收藏地
136	象牙尺	漢	內蒙古磴口縣漢墓	內蒙古博物院
136	象牙尺	西晉	北京石景山區八寶山西晉華芳墓	首都博物館
137	染綠撥鏤象牙尺	唐		日本奈良正倉院
138	染紅撥鏤象牙尺	唐		日本奈良正倉院
140	象牙雕鞠球圖筆筒	宋		安徽省博物館
140	象牙雕飾件	元	遼寧喀喇沁左蒙古族自治縣大城子	遼寧省博物館

明清（公元一三六八年至公元一九一一年）

頁碼	名稱	時代	發現地	收藏地
141	象牙雕筆架	明		故宮博物院
142	象牙雕荔枝螭紋方盒	明		故宮博物院
143	象牙雕雙螭瓶	明		南京博物院
143	象牙雕松蔭策杖圖筆筒	明		故宮博物院
144	象牙雕歲寒三友筆筒	明		故宮博物院
144	象牙雕八仙慶壽紋笏板	明		山東省泰山風景名勝區管理委員會
145	象牙雕雙陸棋子	明		故宮博物院
145	象牙雕雙陸棋子	明		故宮博物院
146	象牙雕送子觀音	明		故宮博物院
146	象牙雕觀音送子像	明		故宮博物院
147	象牙雕壽星像	明		廣東省博物館
147	象牙雕駝背老者像	明		南京博物院
148	象牙雕花卉圓盒	清		故宮博物院
148	象牙雕花卉粉盒	清		廣東省博物館
149	象牙雕方盒	清		南京博物院
149	象牙雕花卉長方盒	清		故宮博物院
150	象牙雕六方盒	清		故宮博物院
150	象牙雕竹石圓盒	清		故宮博物院
151	象牙雕山水八瓣式盒	清		故宮博物院
152	象牙雕鵪鶉盒	清		故宮博物院
152	象牙雕提梁卣	清		故宮博物院
153	染牙雕桃蝠蓋碗	清		故宮博物院

頁碼	名稱	時代	發現地	收藏地
154	象牙雕多穆壺	清		西藏自治區拉薩市羅布林卡
154	象牙鏤雕人物塔式瓶	清		江蘇省揚州博物館
155	象牙雕大吉葫蘆式花熏	清		故宮博物院
156	象牙雕回紋葫蘆式花熏	清		故宮博物院
156	象牙雕香筒	清		故宮博物院
157	象牙雕冠架	清		故宮博物院
157	象牙雕臺燈	清		西藏自治區拉薩市羅布林卡
158	象牙雕太白人物臂擱	清		故宮博物院
159	象牙雕松蔭雅集圖臂擱	清		故宮博物院
160	象牙雕菊石柳鵝臂擱	清		故宮博物院
161	象牙雕人物臂擱	清		江蘇省蘇州博物館
161	象牙雕花插	清		故宮博物院
162	象牙雕除夕插梅圖人物筆筒	清		南京博物院
162	象牙雕梅花筆筒	清		故宮博物院
163	象牙雕漁樵圖筆筒	清		故宮博物院
164	象牙雕漁樂圖筆筒	清		故宮博物院
165	象牙雕四季花卉方筆筒	清		故宮博物院
166	象牙雕山水人物方筆筒	清		故宮博物院
166	象牙雕群龍飛舞筆筒	清		南京博物院
167	象牙黑漆地描金花卉筆筒	清		故宮博物院
168	染牙雕嬰戲筆筒	清		故宮博物院
169	象牙雕松鼠葡萄筆洗	清		故宮博物院
169	象牙雕葡萄草蟲碟	清		安徽省博物館
170	象牙雕竹節鎮紙	清		南京博物院
170	象牙雕雲龍紋火鐮套	清		故宮博物院
171	象牙雕雲龍紋火鐮套	清		故宮博物院
171	象牙鏤雕花卉香囊	清		故宮博物院
172	象牙編織花鳥團扇	清		故宮博物院
172	象牙編織松竹梅執扇	清		故宮博物院
173	象牙絲編織團扇	清		故宮博物院
173	象牙嵌寶石鐘表軸折扇	清		首都博物館
174	象牙雕仙鶴形鼻烟壺	清		故宮博物院
174	象牙雕苦瓜形鼻烟壺	清		故宮博物院
175	象牙雕魚鷹形鼻烟壺	清		故宮博物院

頁碼	名稱	時代	發現地	收藏地
176	象牙雕司馬光砸缸鼻烟壺	清		故宮博物院
176	象牙透雕鼻烟壺	清		江蘇省揚州博物館
177	象牙雕寒夜尋梅圖	清		故宮博物院
178	象牙雕踏雪尋梅圖	清		故宮博物院
179	象牙雕三羊開泰圖插屏	清		故宮博物院
180	象牙雕人物仕女小插屏	清		故宮博物院
181	象牙雕山水小插屏	清		江蘇省蘇州博物館
182	象牙雕菩薩頭像	清		廣東省博物館
183	象牙雕蓮花菩薩立像	清		故宮博物院
183	象牙雕空行母像	清		故宮博物院
184	象牙雕説法人物像	清		安徽省博物館
185	象牙雕魁星踢斗像	清		故宮博物院
185	象牙雕壽星像	清		南京博物院
186	象牙雕老者像	清		故宮博物院
187	象牙雕牧牛童子	清		故宮博物院
187	象牙雕持扇仕女像	清		故宮博物院
188	象牙雕萬壽菊	清		故宮博物院
190	象牙雕佛傳故事	清		西藏自治區拉薩市羅布林卡
191	象牙雕頂柱花套球	清		南京博物院
192	象牙雕樓閣人物套球	清		故宮博物院
193	象牙雕套盒	清		故宮博物院
193	象牙雕花籃	清		故宮博物院
194	象牙雕海市蜃樓擺件	清		故宮博物院
196	象牙雕草蟲白菜擺件	清		故宮博物院
197	象牙雕草蟲白菜擺件	清		故宮博物院
197	象牙雕脱殼鷄雛擺件	清		故宮博物院
198	象牙雕佛手擺件	清		廣東省博物館
198	象牙雕鷹擺件	清		南京博物院

角　雕

唐至清（公元六一八年至公元一九一一年）

頁碼	名稱	時代	發現地	收藏地
201	角櫛	唐	陝西西安市長安區風雷儀表廠唐墓	陝西省考古研究院
201	犀角雕蟠螭紋杯	五代十國·前蜀	四川成都市前蜀王建墓	四川博物院
202	犀角雕臥鹿形杯	元		故宮博物院
202	犀角雕花卉洗	明		故宮博物院
203	犀角雕荷葉螳螂杯	明		上海博物館
204	犀角雕六龍紋杯	明		上海博物館
204	犀角雕梅花杯	明		河北省博物館
205	犀角雕蓮蓬紋荷葉形杯	明		故宮博物院
205	犀角雕芙蓉秋蟲杯	明		故宮博物院
206	犀角雕螭紋菊瓣式杯	明		故宮博物院
206	犀角雕玉蘭花式杯	明		故宮博物院
207	犀角雕桃式杯	明		故宮博物院
207	犀角雕雲龍杯	明		故宮博物院
208	犀角雕山水人物杯	明		故宮博物院
208	犀角雕山水人物杯	明		天津博物館
209	犀角雕蝠柄杯	明		天津博物館
210	犀角雕雲龍杯	明		故宮博物院
211	犀角雕龍柄螭龍紋杯	明		故宮博物院
212	犀角雕蜀葵天然形杯	明		故宮博物院
212	透雕花卉蟠龍紋犀角杯	明		上海博物館
213	犀角杯	明		廣東省廣州市文物總店
213	透雕浮槎犀角杯	明		上海博物館
214	犀角雕仙人乘槎	明		故宮博物院
215	犀角雕仙人乘槎	明		故宮博物院
216	犀角雕四足鼎	明		故宮博物院
216	犀角雕花三足觥	明		故宮博物院
217	犀角雕雙螭耳仿古執壺	明		故宮博物院
218	犀角雕水獸紋杯	清		故宮博物院

頁碼	名稱	時代	發現地	收藏地
218	犀角雕荷葉形杯	清		故宮博物院
219	犀角雕花鳥杯	清		故宮博物院
220	犀角雕柳蔭牧馬圖杯	清		故宮博物院
220	犀角雕竹芝紋杯	清		故宮博物院
221	犀角雕獸紋柄仿古螭紋杯	清		故宮博物院
222	犀角雕蓮蓬荷葉杯	清		故宮博物院
222	犀角雕梧桐葉紋杯	清		廣東省博物館
223	犀角雕山水人物杯	清		故宮博物院
224	犀角雕山水人物杯	清		南京博物院
224	犀角雕松蔭高士杯	清		故宮博物院
225	犀角雕螭杯	清		故宮博物院
226	犀角雕果實杯	清		故宮博物院
227	犀角雕螭柄獸面紋杯	清		故宮博物院
228	犀角雕玉蘭花杯	清		南京博物院
228	犀角雕爵	清		故宮博物院
229	犀角雕仿古匜	清		故宮博物院
229	犀角雕花籃	清		故宮博物院
230	牛角雕羅漢坐像	清		江蘇省蘇州博物館
231	犀角雕桃花座觀音像	清		故宮博物院
232	犀角雕布袋和尚像	清		故宮博物院

珐琅器

元明（公元一二七一年至公元一六四四年）

頁碼	名稱	時代	發現地	收藏地
235	掐絲珐琅三環尊	元		故宮博物院
236	掐絲珐琅纏枝蓮鍍金龍耳瓶	元		故宮博物院
237	掐絲珐琅鼎式爐	元		故宮博物院
238	掐絲珐琅象耳爐	元		故宮博物院
238	掐絲珐琅魚耳爐	明		故宮博物院
239	掐絲珐琅梅瓶	明		故宮博物院

頁碼	名稱	時代	發現地	收藏地
240	掐絲珐瑯玉壺春瓶	明		故宮博物院
240	掐絲珐瑯長頸瓶	明		英國倫敦大英博物館
241	掐絲珐瑯雲龍紋蓋罐	明		英國倫敦大英博物館
242	掐絲珐瑯纏枝蓮紋碗	明		故宮博物院
242	掐絲珐瑯杯托	明		故宮博物院
243	掐絲珐瑯纏枝蓮紋直頸瓶	明		故宮博物院
243	掐絲珐瑯花果紋出戟觚	明		故宮博物院
244	掐絲珐瑯魚藻紋高足碗	明		中國國家博物館
244	掐絲珐瑯雙陸棋盤	明		故宮博物院
245	掐絲珐瑯花蝶紋香筒	明		故宮博物院
246	掐絲珐瑯海馬紋大碗	明		故宮博物院
246	掐絲珐瑯龍鳳紋盤	明		故宮博物院
247	掐絲珐瑯獅紋尊	明		故宮博物院
248	掐絲珐瑯龍紋長方爐	明		故宮博物院
249	掐絲珐瑯蠟臺	明		故宮博物院
249	掐絲珐瑯雙龍紋盤	明		遼寧省文物總店
250	掐絲珐瑯蒜頭瓶	明		故宮博物院
251	掐絲珐瑯出戟尊	明		中國國家博物館
252	掐絲珐瑯福壽康寧圓盒	明		故宮博物院
252	鏨胎珐瑯纏枝蓮紋圓盒	明		故宮博物院

清（公元一六四四年至公元一九一一年）

頁碼	名稱	時代	發現地	收藏地
253	掐絲珐瑯三足熏爐	清		故宮博物院
254	掐絲珐瑯香熏	清		故宮博物院
255	掐絲珐瑯纏枝蓮紋膽瓶	清		故宮博物院
255	掐絲珐瑯雙龍瓶	清		故宮博物院
256	掐絲珐瑯帶蓋梅瓶	清		故宮博物院
256	掐絲珐瑯雲紋天球瓶	清		故宮博物院
257	掐絲珐瑯三足蓋鼎	清		遼寧省旅順博物館
258	掐絲珐瑯獸面出戟方觚	清		遼寧省旅順博物館

13

頁碼	名稱	時代	發現地	收藏地
258	掐絲珐琅獸面紋尊	清		故宮博物院
259	掐絲珐琅鳳耳三足尊	清		遼寧省旅順博物館
260	掐絲珐琅獸面紋石榴尊	清		故宮博物院
261	掐絲珐琅鳧尊	清		故宮博物院
262	金胎掐絲嵌畫珐琅開光仕女圖執壺	清		故宮博物院
263	掐絲珐琅龍把壺	清		西藏自治區拉薩市羅布林卡
264	掐絲珐琅鳧形提梁壺	清		故宮博物院
264	掐絲珐琅勾蓮紋瑞獸	清		故宮博物院
265	掐絲珐琅龍紋硯盒	清		故宮博物院
265	掐絲珐琅冰箱	清		故宮博物院
266	掐絲珐琅五岳圖屏風	清		故宮博物院
267	掐絲珐琅塔	清		故宮博物院
268	掐絲珐琅壇城	清		故宮博物院
269	掐絲珐琅壽字紋碗	清		故宮博物院
269	掐絲珐琅年年益壽蓋碗	清		故宮博物院
270	掐絲珐琅轉心瓶	清		故宮博物院
270	掐絲珐琅纏枝牡丹紋藏草瓶	清		故宮博物院
271	掐絲珐琅卷書錦袱式筆筒	清		故宮博物院
271	掐絲珐琅方罍	清		故宮博物院
272	掐絲珐琅熏爐	清		故宮博物院
273	畫珐琅山水人物梅瓶	清		故宮博物院
273	畫珐琅開光花卉小瓶	清		故宮博物院
274	畫珐琅山水紋爐	清		故宮博物院
274	仿古銅釉長方爐	清		故宮博物院
275	畫珐琅牡丹紋碗	清		故宮博物院
275	畫珐琅纏枝蓮紋葵瓣式盒	清		故宮博物院
276	畫珐琅番蓮雙蝶紋花口盤	清		故宮博物院
277	畫珐琅蓮花式盤	清		故宮博物院
278	畫珐琅花卉紋水丞	清		故宮博物院
278	畫珐琅梅花鼻烟壺	清		故宮博物院
278	畫珐琅嵌匏人物鼻烟壺	清		故宮博物院
279	畫珐琅滷壺	清		故宮博物院
280	畫珐琅六頸瓶	清		故宮博物院
281	畫珐琅法輪	清		故宮博物院

頁碼	名稱	時代	發現地	收藏地
282	畫珐琅帶托杯	清		故宮博物院
282	畫珐琅黑地白梅花鼻烟壺	清		故宮博物院
283	畫珐琅團花紋提梁壺	清		故宮博物院
283	畫珐琅葫蘆式瓶	清		故宮博物院
284	畫珐琅提梁壺	清		故宮博物院
285	畫珐琅牡丹花籃	清		故宮博物院
285	畫珐琅開光山水人物圖瓜棱盒	清		故宮博物院
286	畫珐琅玉堂富貴圖瓶	清		故宮博物院
286	畫珐琅執壺	清		西藏自治區拉薩市羅布林卡
287	畫珐琅雙耳瓶	清		廣東民間工藝博物館
287	畫珐琅海棠花式瓶	清		故宮博物院
288	畫珐琅大缸	清		故宮博物院
289	畫珐琅花鳥鼻烟壺	清		故宮博物院
289	畫珐琅蟹菊紋鼻烟碟	清		故宮博物院
290	畫珐琅金彩花卉紋盤	清		遼寧省博物館
290	畫珐琅花卉祝壽八寶雙層盒	清		廣東省博物館
291	畫珐琅花觚	清		故宮博物院
291	畫珐琅綠地描金獸面方瓶	清		故宮博物院
292	畫珐琅描金夔紋雙耳高足杯	清		故宮博物院
293	畫珐琅執壺	清		故宮博物院
294	畫珐琅方夔紋熏爐	清		故宮博物院
295	鏨胎珐琅鎏金爐	清		廣東省廣州博物館
295	鏨胎珐琅犧尊	清		故宮博物院
296	鏨胎珐琅象	清		故宮博物院
297	鏨胎珐琅四友圖屏風	清		故宮博物院
298	鏨胎珐琅面盆	清		故宮博物院
298	鏨胎珐琅瓜棱水丞	清		故宮博物院
298	鏨胎珐琅方水丞	清		故宮博物院
299	錘胎珐琅八方盒	清		故宮博物院
299	錘胎珐琅雙耳爐	清		故宮博物院
300	錘胎珐琅雙耳瓶	清		故宮博物院
300	錘胎珐琅蠟臺	清		故宮博物院

301　年　表

竹　雕

【 竹 雕 】

西夏至明（公元一〇三八年至公元一六四四年）

竹雕庭院人物
西夏
寧夏銀川市西夏陵區6號陵出土。
高2.7、寬7.5厘米。
竹雕呈長方形，上刻庭院、松樹、假山、窗户、花卉和人物。
現藏寧夏博物館。

竹雕松樹形壺
明
高12.3厘米。
壺以松幹爲身，蟠枝成柄，斷梗作流，因勢造型，靈巧而古樸。壺柄下方刻"仲謙"楷書款。仲謙爲金陵派竹刻創始人濮仲謙。
現藏故宮博物院。

3

[竹 雕]

竹雕松鶴筆筒
明
高17.8厘米，口長14.9、寬8.9厘米。
由一天然老竹雕出老松枝幹一截，密布鱗皴瘦節，其旁又出小枝，松針纖細，枝葉繁茂，松畔立雙鶴，隔枝相望，寓取"松鶴延年"。松皮脫露木處陰刻楷書款識五十一字，表明此筆筒製于辛未年即正德六年（公元1511年），作者爲嘉定派竹刻創始人朱松鄰。現藏南京博物院。

[竹 雕]

西夏至明（公元一〇三八年至公元一六四四年）

竹雕松鼠紋盒
明
高4、長10、寬8.5厘米。
整器呈橢圓形，子母口。高浮雕及淺浮雕結合表現一株遒勁的蒼松，枝幹間雕三隻生動活潑的松鼠。盒身下部松幹處刻"小松"款。小松爲明代竹刻名家朱纓，字清甫，號小松，嘉定（今上海）人，嘉定派創始人朱松鄰之子。
現藏首都博物館。

[竹 雕]

竹雕劉阮入天台香筒
明
上海寶山區顧村鎮朱守城夫婦墓出土。
高16.5、底徑3.7厘米。
采用通景式透雕東漢時劉晨、阮肇入天台遇神仙故事。
有"小松"款。
現藏上海博物館。

竹雕劉阮入天台香筒之仙人對弈

【 竹 雕 】

竹雕仲謙款香筒
明
高18、口徑4厘米。
香筒表面雕春日游樂圖，圖中人物或撫琴，或賞花，或對弈。香筒下部刻"仲謙"款。
現藏南京博物院。

竹雕五鬼鬧判花筒
明
高21、口徑4厘米。
筒身通體以浮雕、透雕和陰刻工藝雕琢而成。松木山石之間刻畫出五鬼鬧判的圖景。
現藏中國國家博物館。

西夏至明（公元一〇三八年至公元一六四四年）

【 竹 雕 】

西夏至明（公元一〇三八年至公元一六四四年）

竹雕竹枝筆筒
明
高14.6、口徑6.9厘米。
筒身刻垂竹一梢，頗具寓意。
現藏故宮博物院。

竹雕山水樓閣筆筒
明
高10.3、口徑5.9厘米。
筒身采用留青法雕遠山和樓閣。留青之法，爲明代竹刻家張希黄所創。
現藏上海博物館。

【 竹 雕 】

西夏至明（公元一〇三八年至公元一六四四年）

竹雕庭園讀書圖筆筒
明
高14.9、口徑15.5厘米。
筒壁刻二女子庭院讀書情景，有"禹川沈大生製"款。
沈大生爲嘉定派刻竹傳人。
現藏上海博物館。

竹雕仕女圖筆筒
明
高14.8、口徑10.2厘米。
筒體呈圓形，下有三足，口沿與底部皆略侈。筒外壁減地浮雕二喬觀書芭蕉博古圖，榻上陳設書畫及插滿蓮荷的花觚等物。
現藏故宫博物院。

9

[竹　雕]

竹雕老人挖耳筆筒

明

高15、口徑10厘米。

采用高浮雕和透雕技法，鏤雕虬松山石，松樹下一老人背靠岩石席地而坐。老人形象似鍾馗，闊顙豐髯，朝冠長服，右手執牙笏，左手拿掏耳勺掏耳。

現藏故宮博物院。

【 竹 雕 】

竹雕山水人物筆筒
明
高16.2、口徑10.9厘米。
筒體外雕漁村小景圖，表現人物舟行集會的場面，署款"丁亥嘉平徵明戲作"，又"衡山"篆書印，知其乃本于文徵明所繪畫製。筒身鈐刻篆書"三松製"方印。現藏故宮博物院。

西夏至明（公元一〇三八年至公元一六四四年）

【 竹 雕 】

西夏至明（公元一〇三八年至公元一六四四年）

竹雕佛手
明
高11、長15.5、寬5厘米。
佛手作并蒂折枝式，枝葉相連。在枝端陰刻楷書"小松"款。
現藏故宮博物院。

竹雕殘荷葉洗
明
高6.6厘米，口長13.8、寬8.2厘米。
以深秋荷葉爲主題。葉邊欲枯，蟲蝕漏隙，葉內淺鏤筋脉，葉外隱起。旁側凹下處有一小蟹。葉底盤梗，斜出一花。葉底款識陰文行書"三松"。三松爲朱稚徵之號，朱小松之子。
現藏臺北故宮博物院。

[竹雕]

竹雕騎馬人
明
高19.9、長14.9厘米。
作品以唐代詩人韓愈"雲橫秦嶺家何在，雪擁藍關馬不前"為素材，采用圓雕技法刻一頭戴風帽、縮頸揣袖的騎馬人頂風冒雪艱難前行的形象。馬雙目圓瞪，四足叉開，作立止不前狀。
現藏故宮博物院。

西夏至明（公元一〇三八年至公元一六四四年）

[竹雕]

西夏至明（公元一〇三八年至公元一六四四年）

竹雕張果老騎驢

明

高9.5、寬7厘米。

張果老頭戴帽子，身着長袍，笑容滿面，長髯飄拂，雙手懷抱漁鼓，身子倒騎于驢背之上。驢作四蹄開撐狀，體壯骨健，大耳直立，兩眼圓睜，側首觀望。下承四足木座。在張果老身後衣服的下方陽刻篆文"小松自玩"四字款。

現藏故宮博物院。

[竹雕]

竹雕劉海戲蟾
明
高7厘米。
劉海左舒坐，圓臉大嘴，披袈裟，左手捏銅錢，金蟾伏于右腿上。身後刻"小松"款。
現藏故宮博物院。

竹雕寒山拾得像
明
高5.2厘米。
寒山、拾得乃唐代貞觀年間高僧，世傳顛狂。此器雕二僧于蓮舟之上，以笤帚作槳，享共濟之樂。蓮舟側壁刻"三松"款。
現藏故宮博物院。

西夏至明（公元一○三八年至公元一六四四年）

[竹雕]

竹雕三士戲象

明

高24厘米。

象背牡丹紋蓋毯上蹲立二士，二人手捧一物，象旁一人手持一寶瓶。此造型寓取"太平有象"之吉祥語。

西夏至明（公元一〇三八年至公元一六四四年）

[竹雕]

竹雕童子戲牛
明
高11厘米。
三童子于牛背上嬉戲，呈歡慶豐收之形。二童在水牛背上，一站一斜滑，站立之童作攙扶態。旁附幼牛，一童騎坐，手持一束穀穗作驅牛狀，寓意"歲歲豐收"。現藏故宮博物院。

西夏至明（公元一〇三八年至公元一六四四年）

[竹 雕]

西夏至明（公元一〇三八年至公元一六四四年）

竹雕漁翁
明
高13.5厘米。
漁翁頭戴斗笠，身披蓑衣，手提小籃，作躬腰前行狀。現藏故宮博物院。

[竹雕]

竹根雕漁翁
明
高15、底徑11厘米。
鏤雕一圓形大魚簍,漁翁騎坐于上。
現藏南京博物院。

竹雕麒麟
明
高6.5、長8.9厘米。
麒麟雙眼圓睜,張口欲吼,作回首狀。左前肢前伸,右前肢蜷曲,後肢為蹲坐狀。通身刻鱗。
現藏故宮博物院。

西夏至明(公元一〇三八年至公元一六四四年)

【 竹 雕 】

西夏至明（公元一〇三八年至公元一六四四年）

竹雕飛熊
明
高18.5、寬11厘米。
飛熊雙爪平舉微上抬，扭身轉首，雙眼圓瞪似向前抓撲。肩有雙翅，背部長毛下披，各部位形態皆异。飛熊爲神話中的瑞獸，寓意"有吉人出現"。
現藏故宫博物院。

竹雕飛熊背面

[竹 雕]

竹雕葫蘆式盒
清
高6.1、長17.6、寬11.1厘米。
天然葫蘆形，外鏤雕蔓葉，藤蔓纏繞布滿全身，盒蓋上雕二小葫蘆。
現藏故宮博物院。

清（公元一六四四年至公元一九一一年）

[竹 雕]

清（公元一六四四年至公元一九一一年）

竹雕瓜式盒
清
高5.2、長14.5、寬10厘米。
瓜形，全身浮雕枝葉藤蔓。蓋面雕一小瓜隱于瓜葉中，二蝴蝶上下飛舞。盒底部也雕有小瓜隱于瓜葉中。寓意爲"瓜瓞綿綿"。
現藏故宮博物院。

竹雕瓜式盒
清
高4、長8厘米。
盒作瓜形，上下浮雕藤蔓枝葉，蓋上附雕一小瓜。
現藏南京博物院。

[竹雕]

竹雕饕餮紋三足雙耳鼎
清
高15、口徑13.2厘米。
造型仿青銅器。圓垂腹，獸蹄形足。腹外有一圈回紋地饕餮紋裝飾帶。鼎蓋及荷葉狀底座均爲紫檀雕製。蓋鈕則爲蜜蠟製，刻獸面紋和蕉葉紋。
現藏故宮博物院。

清（公元一六四四年至公元一九一一年）

[竹 雕]

清（公元一六四四年至公元一九一一年）

竹根雕三足鼎
清
高12.7、口徑12.4厘米。
造型仿青銅器。圓形三足，朝天耳。通體雕回紋。鼎蓋鼓起，中央鏤空，四周雕寶相花紋飾，三足雕如意頭紋樣。
現藏故宮博物院。

竹雕龍紋尊
清
高17.3、口徑17.2厘米。
造型仿青銅器。四面出戟，將腹部兩周花紋分隔爲四部分，皆刻回紋作地，上層飾龍紋，下層飾饕餮紋。
現藏故宮博物院。

竹雕提梁卣

清

高20.3厘米。

造型仿青銅器。器呈橢圓形，圈足外撇，頸部透雕環形雙耳上附繩紋提梁。蓋面陽刻蟬紋，中心浮雕蟬紋鈕，器身由圈點紋和弦紋分隔上層夔龍紋帶和下層的獸面蕉葉紋帶，圈足外陰刻雷紋。

現藏故宮博物院。

【 竹 雕 】

清（公元一六四四年至公元一九一一年）

[竹 雕]

清（公元一六四四年至公元一九一一年）

竹雕獸面紋扁壺
清
高13.9厘米，口長4.3、寬2.9厘米，足長4.1、寬3厘米。
造型仿青銅器。方口，扁腹，兩側粘接雲紋雙耳。蓋呈長方形，鈕作菊瓣狀，肩頸處兩道弦紋之間以雙綫浮雕獸面紋。
現藏故宮博物院。

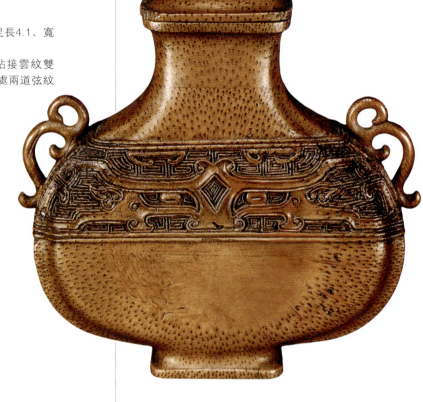

竹雕龍柄匜
清
高13.2厘米，口長21.5、寬13.2厘米。
造型仿青銅器。龍頭銜咬匜邊作柄。三蹄足，上端淺浮雕饕餮紋。匜口外沿陰刻一周回紋。
現藏故宮博物院。

[竹雕]

竹雕提梁壺
清
高22.9、口徑4.9、足徑4.5厘米。
造型仿自宋以後的青銅提梁壺式樣。曲柄，流端作鳳首，活環提梁。蓋鈕似蒜瓣狀，其上陰刻幾何紋。壺身飾弦紋，腹雕饕餮紋。
現藏故宮博物院。

竹雕四童捧足雙獸銜環瓶
清
高25.5、口徑9.3厘米。
瓶體造型古樸、圓潤，通身淺浮雕如意雲紋，肩部雕一周蓮葉紋，頸飾山形紋，瓶下部則飾一圈波浪紋，寓取"壽山福海"。瓶頸兩側雕作獸口銜環耳。底部雕四童子作合力搬瓶狀為瓶足。
現藏南京博物院。

[竹 雕]

竹雕吞江醉石圖香筒
清
高24.6厘米。
上下以象牙鑲器口及足。香筒上下爲幾何紋帶,中間上方雕亭臺樓閣、山石樹木,下方表現江面上大小船隻穿梭。上刻"吞江醉石"四字,并署"芷岩"二字款。芷岩爲清初竹刻家周顥之字,嘉定(今上海)人。
現藏廣東民間工藝博物館。

竹雕文姬歸漢圖花筒
清
高21.5、口徑4.2厘米。
筒身鏤雕文姬歸漢圖。圖中松、柏、楓、桐各種花木滿布畫面。下方有"程騰瑞製"方印。
現藏故宮博物院。

竹雕二喬并讀圖香筒

清

高21厘米。

竹胎，上下以紫檀木鑲器口及足。以鏤雕技法表現三國時大喬和小喬姐妹讀書的場面，二女漫步在庭院中，一女手持書卷正在低頭吟誦，一女手持芭蕉扇在側身凝視，神態頗為閒適自然。人物周圍點綴以樹木山石，山石上刻"之璠"二字行書款，表明作者為清代早期竹雕大家吳之璠。

現藏廣東民間工藝博物館。

竹雕留青仙人圖臂擱

清

長23.4、寬6.8厘米。

臂擱正面上部雕高山巨岩，二仙人立於雲端，下部雕海浪波濤，一人坐於巨蟾上，向岸上坐於樹下的仙人拱手致意。

現藏故宮博物院。

清（公元一六四四年至公元一九一一年）

[竹 雕]

清（公元一六四四年至公元一九一一年）

竹雕松蔭高士臂擱

清

长23.2、宽7.5厘米。

臂搁正面雕松树下一老翁立于山泉前。岩石空白处刻"吴之璠製"款。

现藏故宫博物院。

竹雕荷花螃蟹臂擱

清

長23.2、寬7.8厘米。

臂擱正面雕有荷花、荷葉。小朵荷花正欲開放，大朵荷花已凋謝，花托膨大形成蓮蓬，內生蓮子。兩張荷葉捲起，一作蟲蛀狀，一中心伏臥一隻螃蟹。臂擱左下角陽刻篆文"松山"方印。

現藏故宮博物院。

竹雕魚躍圖臂擱
清
高25.9、寬6.8厘米。
正面雕魚躍圖。遠景海水滔滔，旭日初升；近景則驚濤駭浪，鯉魚騰躍，間有落花隨波迴旋。
現藏故宮博物院。

竹雕環佩紋臂擱
清
高24.1、寬6.6厘米。
正面刻古玉環佩三組，每組一、二、三件不等，交疊隱現，錯落有致。邊緣鎪刻鳳紋。
現藏故宮博物院。

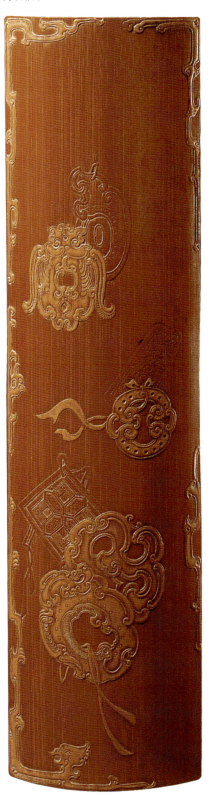

清（公元一六四四年至公元一九一一年）

[竹雕]

竹雕竹林七賢筆筒
清
高16、口徑14厘米。
筒外雕山石、松柏、竹林，以鏤空挑出竹枝，更顯竹林之深遠，低處則小橋流水，曲溪隱現。七賢或觀畫，或撫琴，或飲酒，或閒談，或坐或臥，情趣各异，間有童子或煮茗，或捧盤侍立。
現藏故宮博物院。

竹雕竹林七賢筆筒之七賢對弈

竹雕竹林七賢筆筒之七賢撫琴

竹刻祝壽圖筆筒
清

高16.4、口徑10.8厘米。

筒身雕西王母祝壽圖。西王母身穿大袖長袍,頭梳高髻,坐于三鳳車上。山下一學士拱手而立。有名款"己酉仲夏顧宗玉製"。

現藏故宮博物院。

清（公元一六四四年至公元一九一一年）

【 竹 雕 】

清（公元一六四四年至公元一九一一年）

竹雕松蔭迎鴻圖筆筒
清

高15.1、口徑8.9厘米。

筒身雕松下一老叟端坐，解衣袒腹，右手持履，左手支地，翹首仰望飛鳥。款識陰文"槎溪吳之璠製"六字。現藏上海博物館。

竹雕二喬并讀圖筆筒
清

高15.4、口徑12.4厘米。

筒身雕二喬圖。兩婦皆高髻，分坐榻和杌子上，一人持扇，一人手指几上書卷，二人似在低語。榻上陳設插花尊及文房用具。背刻一首陽文七絕，署款"吳之璠"，下有"魯珍"方印。
現藏上海博物館。

【 竹 雕 】

竹雕竹林七賢筆筒
清
高12.7、口徑6.7厘米。
外壁採用透雕和深雕技法，于老松修竹下雕"竹林七賢"圖。七賢或伏案彈琴，或側旁傾聽；另一面在林蔭下有圍坐對弈，有揮扇煮茗。
現藏天津博物館。

竹雕劉海戲蟾筆筒
清
高15、口徑8.5厘米。
筆筒一面刻劉海披衣、袒胸、赤足、交脚坐于笞帚上，滿面笑容，俯身逗弄一隻三足金蟾。另一面刻陰文行書七絕詩一首，並有"癸未清明前一日吳之璠製"款識。
現藏中國國家博物館。

清（公元一六四四年至公元一九一一年）

清（公元一六四四年至公元一九一一年）

竹雕樓臺人物筆筒
清
高16.8、口徑15厘米。
筆筒下置嵌三足紫檀底座。筒身雕庭院景色。蕉竹松柏掩映，欄杆曲徑深深，有樓臺人物。
現藏故宮博物院。

[竹 雕]

清（公元一六四四年至公元一九一一年）

竹雕狩獵圖筆筒
清
高17.5、口徑16.2厘米。
筆筒口與底均鑲有紫檀木。筒身雕狩獵圖。
現藏故宮博物院。

竹雕狩獵圖筆筒狩獵場景之一

竹雕狩獵圖筆筒狩獵場景之二

[竹 雕]

竹雕竹林七賢及八駿圖筆筒

清

高14.1、口徑8.9厘米。

筆筒作扁圓形。筒身分刻竹林七賢圖和八駿圖。七賢或題于壁，或對弈，或觀棋倦而欠伸，或扶肩同行，或袒腹舉杯，五六個童子則或捧硯，或汲泉，或烹茶，或斟酒，畫面生動自然。八駿形態各异。筒外無款識，有篆書"尚勛"小長方印。

現藏故宫博物院。

清（公元一六四四年至公元一九一一年）

【 竹 雕 】

竹雕竹林七賢筆筒
清
高15.6、口徑15.2厘米。
筒身雕七賢于世外竹林中共享其樂。
現藏南京博物院。

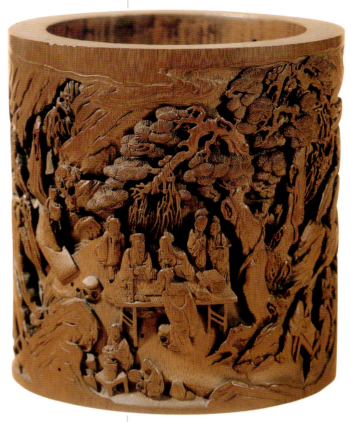

竹雕滾馬圖筆筒
清
高13.9、口徑10.1厘米。
筒外壁減地浮雕滾馬圖，一馬翻滾仰臥，旁立一長髯武士；另刻行書"生桃林之野，出頗黎之谷"十字，并行書題款"嘉定王易樞趙松雪本，作於墨香小築之南窗，時年七十有八"。
現藏故宮博物院。

清（公元一六四四年至公元一九一一年）

[竹 雕]

清（公元一六四四年至公元一九一一年）

竹雕三老玩月筆筒
清
高13.3、口徑9.6厘米。
筒身雕刻嶙峋山岩，挺立松柏，三位老者于山道之中遥望明月，似在高談闊論。
現藏南京博物院。

竹雕桐蔭煮茗圖筆筒
清
高10.1、口徑5.9厘米。
筒身雕琢桐蔭煮茗圖。側有三株梧桐，蔭下一石榻，有老叟斜坐席側，右手邊橫琴，一童正揮扇煮茗。有篆書"尚勛"款識。
現藏上海博物館。

[竹 雕]

清（公元一六四四年至公元一九一一年）

竹雕醉仙圖筆筒
清
高12.6、口徑6、底徑6.1厘米。
筒身雕醉仙圖，仙翁持扇，袒腹倚于一大酒甕上。筆筒背面陰刻七絕一首，下刻"酉仙"二字款。
現藏故宮博物院。

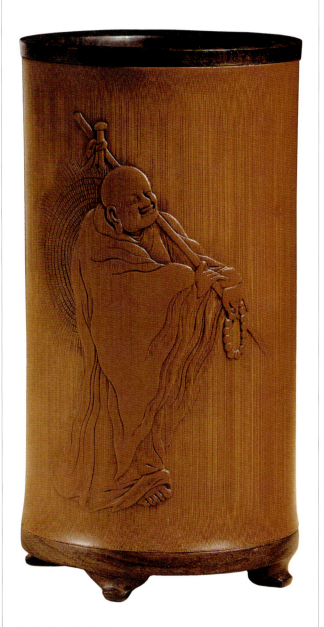

竹雕荷杖僧筆筒
清
高17.3、口徑9.4、足徑9.2厘米。
筒身雕一僧人，指掐念珠，肩荷禪杖，似一路行來。
現藏故宮博物院。

【 竹 雕 】

清（公元一六四四年至公元一九一一年）

竹雕春郊牧馬圖筆筒
清
高13.7厘米。
以一截畸形竹爲材，狀如捲書。雕琢出一幅春意盎然的牧馬圖景。
現藏故宮博物院。

竹雕春郊牧馬圖筆筒背面

【 竹 雕 】

清（公元一六四四年至公元一九一一年）

竹雕白菜筆筒
清
高14、口徑10.4、底徑10.6厘米。
筒體圓形，下有三矮足。筒身雕白菜兩棵，菜葉點綴蟲蛀洞孔，葉間趴附螳螂。
現藏故宮博物院。

竹雕竹林圖筆筒
清
高13.9、口徑11、底徑11.3厘米。
筒體呈圓形。筒外壁打磨光滑，陰刻竹林怪石，有文徵明詩一首并洪緒題句及款識。
現藏故宮博物院。

[竹 雕]

清（公元一六四四年至公元一九一一年）

竹雕秋蟲白菜筆筒
清
高14、口徑10.4厘米。
筒身一面雕白菜兩棵，三隻螳螂與秋蟲趴伏菜葉間。另一面雕七言詩一首，款"西池沈全林"。
現藏故宮博物院。

【 竹 雕 】

竹雕詩文筆筒
清
高11.5厘米。
竹節間刻銘文"虛其心,堅其節,供我文房,與共朝夕",署款"老桐"。
現藏廣東民間工藝博物館。

竹雕洛神圖筆筒
清
高15.5、口徑8.5厘米。
作品取材《洛神賦》,雕洛神在水面上緩步而行。
現藏天津博物館。

清（公元一六四四年至公元一九一一年）

45

[竹 雕]

清（公元一六四四年至公元一九一一年）

竹雕牧牛圖筆筒
清
高14厘米。
筒身利用竹根的弧度雕山道、牧童及古樹。
現藏故宮博物院。

竹雕白菜形筆筒
清
高16.2、口徑13.4、底徑7.8厘米。
筆筒依竹根之形雕作白菜狀，葉片重叠皺捲，根部溢出土面，其姿態宛若秋圃畦中所見。
現藏故宮博物院。

[竹雕]

清（公元一六四四年至公元一九一一年）

竹根雕十六羅漢山子
清
高30、寬17.2厘米。
以十六羅漢爲題材，雕十六羅漢分別在山崖上、松樹下或山洞中修煉。整體造型狀如山石，故名山子。現藏故宮博物院。

竹根雕十六羅漢山子羅漢修煉場景之一

竹根雕十六羅漢山子羅漢修煉場景之二

[竹 雕]

清（公元一六四四年至公元一九一一年）

竹雕仙人三多槎
清
高15、長26、寬13厘米。
雕刻一仙人懷抱靈芝，盤坐于槎尾上。槎首雕一佛手、二壽桃和二石榴，寓意多福、多壽、多子"三多"。
現藏故宮博物院。

竹雕仙人乘舟槎
清
高17、長32厘米。
雕三十一位老者乘于仙舟之上。
現藏首都博物館。

[竹 雕]

清（公元一六四四年至公元一九一一年）

竹雕麻姑獻壽槎
清
高13、長30厘米。
雕刻麻姑懷抱一罐酒坐于槎尾，另一仙女雙手搖槳，槎首有兩罐美酒和一盆仙桃。
現藏故宮博物院。

竹雕桃樹人物槎
清
高19、寬34.5厘米。
槎上兩邊雕六人，或划槳，或手捧葫蘆而立，或捧花籃，或捧酒壺，有立有坐。
現藏南京博物院。

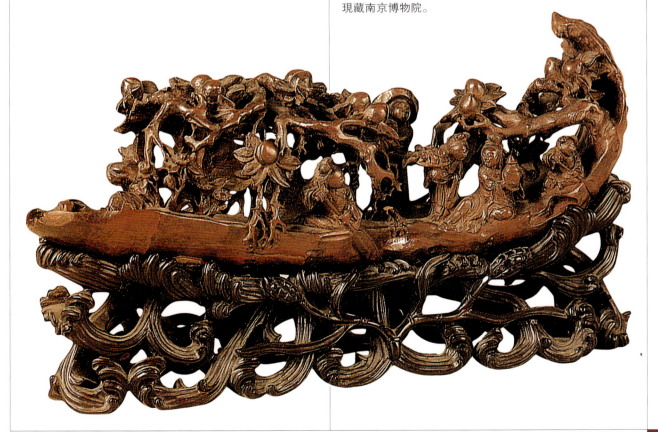

[竹 雕]

清（公元一六四四年至公元一九一一年）

竹根雕人物乘舟槎
清
高21.8、長35.5、寬11.2厘米。
船頭站立一仕女，神情安詳。船舷一孩童，雙手握槳，形態可愛。船後三老者，或手捧靈芝，或手執拂塵。船座刻波浪紋。
現藏江蘇省揚州博物館。

竹編三屜提籃
清
高35.2、長25、寬17厘米。
由細竹絲集束編製而成，分三層屜，蓋頂上有銅銷子鎖定。提梁包有銅皮起加固裝飾作用，兩側還飾銅質盤長等吉祥圖案，上部兩端飾"囍"字，皆寓吉祥。
現藏南京博物院。

[竹 雕]

紫檀鑲竹雕山水小座屏風
清
高78.5厘米，座長62、寬54.8厘米。

屏風係紫檀製，外框光素，縧環板浮雕回紋，屏心鑲竹，正面雕山居圖，背面雕觀瀑圖。現藏故宮博物院。

清（公元一六四四年至公元一九一一年）

[竹 雕]

清（公元一六四四年至公元一九一一年）

竹根雕羅漢像
清
高15厘米。
羅漢坐于石上，袒胸聳肩伸臂，兩手交叉下翻，眼微閉，口張開。背面左下陽刻"封錫祿造像"五字。現藏上海博物館。

【 竹 雕 】

清（公元一六四四年至公元一九一一年）

竹雕童子戲彌勒像
清
高10.5厘米。
彌勒佛赤腳而坐，胖頭大耳，袒胸露腹，仰天而笑，作怡然自得之態，膝上二小童向上攀援嬉戲。
現藏故宮博物院。

竹雕東方朔像
清
高8.6厘米。
作品以西漢文學家東方朔爲素材，用竹根圓雕一眉目高古，長髯披拂的老者形象。東方朔左手握桃，身微前傾，盤腿斜倚，舒適安詳。
現藏故宮博物院。

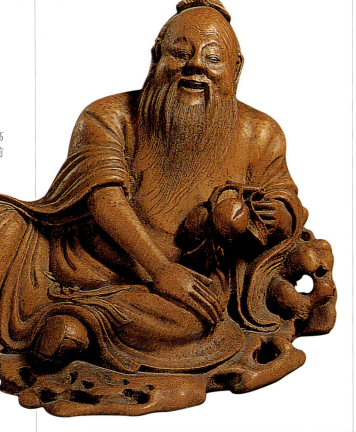

[竹 雕]

竹雕壽星像
清
高29厘米。
壽星圓顱闊腦，眉慈目善，長鬚飄逸。右手執龍頭拐杖，左手托壽桃，身旁偎一束髮童子。
現藏江蘇省蘇州博物館。

竹根雕老人像
清
高60厘米。
采用圓雕技法，利用竹根自然形態，雕出一個神態慈祥、笑容可掬的老者。
現藏廣東民間工藝博物館。

[竹雕]

竹雕淵明采菊像
清
高14.4厘米。
以竹爲材，雕老松一株，挺然獨秀，樹下五柳先生手持菊花而立，注視坡上靈芝草。座下陰刻篆書"用吉"二字款。
現藏上海博物館。

清（公元一六四四年至公元一九一一年）

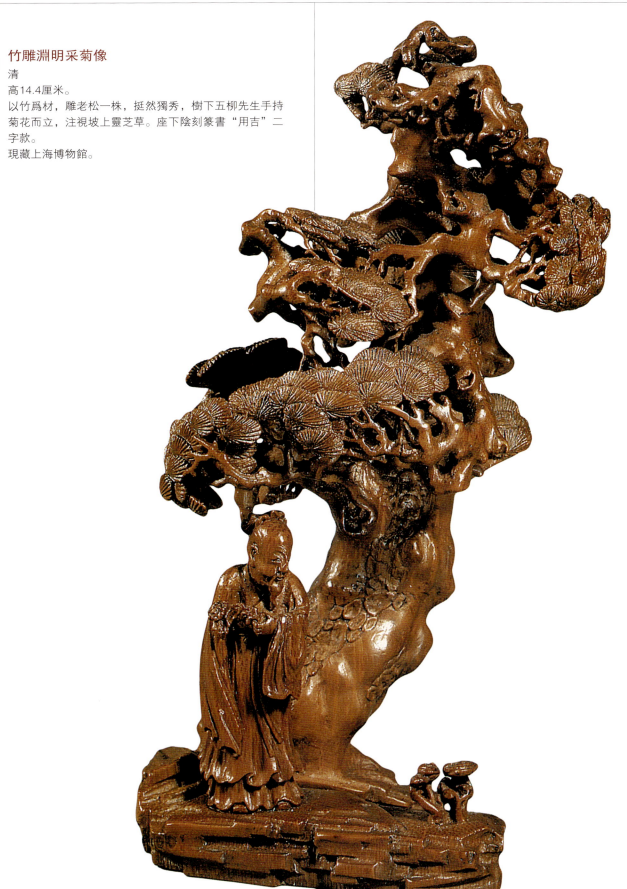

[竹雕]

清（公元一六四四年至公元一九一一年）

竹雕采藥老人像
清
高14.7、底寬12.1厘米。
老人束髻長髯，身背葫蘆，右手提籃，坐于石上，草帽與工具放于身旁。
現藏故宮博物院。

【 竹 雕 】

竹雕采藥老人像
清
高18.4厘米。
老人高髻長髯，右手提籃，坐于石上，腰繫葫蘆，藥鋤斜靠身旁。
現藏故宮博物院。

清（公元一六四四年至公元一九一一年）

[竹 雕]

清（公元一六四四年至公元一九一一年）

竹雕漁家嬰戲
清
高5.9厘米。
魚簍竹編，大腹侈口。兩嬰攀登，仰頭嬉笑，神態憨厚。
現藏上海博物館。

竹根雕童子戲牛
清
高18、寬18.5厘米。
水牛作俯首狀，貌甚溫馴，一頑童滿臉笑意，正用足蹬踩牛的鼻子，雙手攀附牛角，似欲爬上牛背。
現藏安徽省博物館。

[竹雕]

清（公元一六四四年至公元一九一一年）

文竹嵌玉炕几式文具匣
清
高30、寬17.2厘米。
長方形，炕几式。通體竹簧貼花，有大小抽屜五個，各屜有白玉石蝠形鈕。几面上有文竹回節方尊、嵌蜜蠟螭紋盒和書帖式兩層盒，另用竹簧表現盒的層次。文竹，又稱貼簧，盛行于清中期。
現藏故宫博物院。

[竹 雕]

清（公元一六四四年至公元一九一一年）

文竹獸面三足爐
清
高21.3、口徑16.6、足徑12.8厘米。
造型仿青銅器，立耳，三圓柱形足。紫檀作蓋，竹根為鈕。腹部刻回紋錦地，竹簧鏤貼夔龍及獸面紋。現藏故宮博物院。

[竹 雕]

文竹三足爐
清
高21.1厘米。
立耳，收頸，鼓腹，三圓柱形矮足。紫檀作蓋，竹根爲鈕，且雕成曲頸團鵝形。頸部以同色竹簧鏤貼龍紋及獸面紋，并以陰刻回紋作地，腹部貼飾直條紋。
現藏故宮博物院。

文竹蕉葉石紋長方盒
清
高9.2、長33.5、寬8.6厘米。
器身六面均貼簧，鏤刻蕉葉紋及靈石紋。蓋的左側下方用鸂鶒木雕成。
現藏故宮博物院。

文竹蕉葉石紋長方盒盒蓋頂面

清（公元一六四四年至公元一九一一年）

[竹 雕]

清（公元一六四四年至公元一九一一年）

棕竹嵌文竹方勝盒
清
高4.9、口長11.1、足長10.5厘米。
通體鑲貼紫竹竹絲，色若秋茄。蓋頂回紋邊框內以竹簧鏤貼繫絛玉佩。
現藏故宮博物院。

文竹嵌染牙佛手式盒
清
高10.2、長21.5、寬15.3厘米。
木胎，內貼竹簧片，外貼剔刻六方菊紋圖案的棕色竹簧片。盒面雕佛手，并鑲嵌鸂鶒木樹幹、染牙綠色樹葉和白色水晶蝴蝶兩隻。
現藏故宮博物院。

62

【 竹 雕 】

清（公元一六四四年至公元一九一一年）

文竹雙桃盒
清
高7厘米。
盒作并生雙桃形。蓋面細刻六角錦紋和花瓣形紋，嵌貼緋色兩蝙蝠，四面則以染牙雕作的枝葉環抱，寓意"福壽"。
現藏故宮博物院。

文竹柿形盒
清
高12、口徑11.7厘米。
盒呈雙柿形，寓意"事事如意"。外貼簧面，周身細刻球紋和花瓣形紋，紋飾工細。柿蒂用竹根削成，蒂柄則取材黃楊木。
現藏故宮博物院。

[竹 雕]

清（公元一六四四年至公元一九一一年）

文竹海棠式雙層盒

清
高10.8厘米，口長15.3、寬11.3厘米，足長15、寬10.8厘米。

盒通體竹簧貼花。盒的四周貼蟠螭式纏枝紋，蓋面邊上貼蓮瓣紋斜坡和一圈回紋，中心貼蟠螭式纏枝紋。現藏故宮博物院。

貼簧海棠式雙層盒蓋頂面

[竹雕]

清（公元一六四四年至公元一九一一年）

文竹方觚
清
高21、口長10.7、足長7.6厘米。
造型仿青銅器，秀頎優美。通體鏤貼竹簧花紋，口、足、腹部及上下蕉葉中紋理皆以鐵筆烙炙而成，即爲"火繪法"。
現藏故宮博物院。

文竹仿攢竹方筆筒
清
高15厘米。
呈正方筒形。先製木胎，分刻竿節，再一一貼竹簧成器，似以多根方竹攢聚而成。通體光潔，僅口沿略施簡單幾何紋。
現藏故宮博物院。

[竹 雕]

文竹龍紋竹絲編織筆筒
清
高13.3厘米。
筆筒以竹絲和金屬絲經緯相交編織而成，作捲書式。立牆皆呈斜方孔目形，上粘貼以竹簧鏤成的行龍戲珠紋。現藏故宮博物院。

清（公元一六四四年至公元一九一一年）

文竹提梁小櫃
清
寬26.9、深13.3、高30.4厘米。

櫃體似"一封書"式方角櫃，上加平列蓮瓣紋斜坡。櫃門邊框、門心、底板及櫃內屜面皆鑲貼花紋。櫃頂安銅提梁，門上面葉、吊牌、合頁等銅飾件皆鏨花鎏金。此櫃精巧富麗，工藝精細。
現藏故宮博物院。

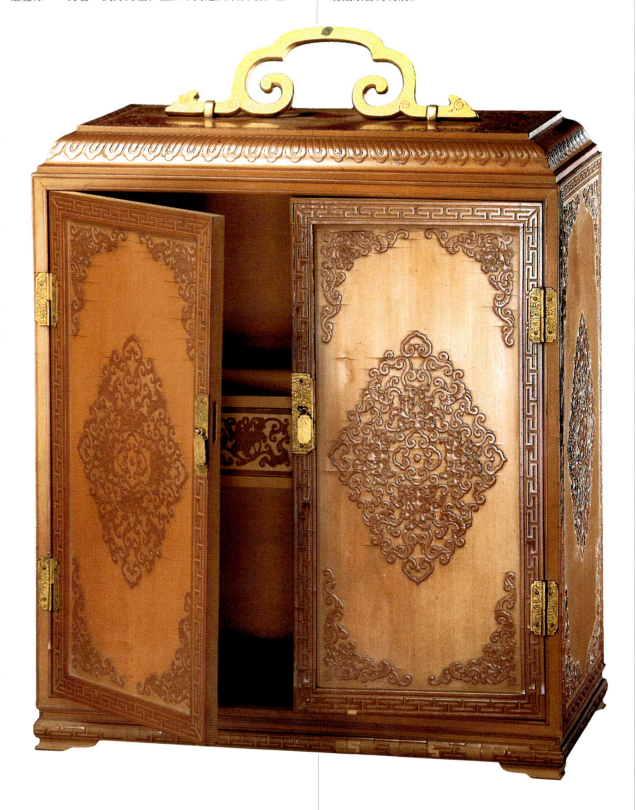

[竹 雕]

文竹鑲染牙冠架
清
高28、座徑15.2厘米。
冠架三足，上承圓頂，足下有托泥。圓頂球形，鏤空，球內可放香料。架足鑲綠色染牙花片及圓珠。
現藏故宮博物院。

鑲雙色竹絲文竹冠架
清
高30.5、底徑13.7厘米。
冠架頂似傘蓋，中置立柱，鼓形底座。通體鑲嵌紫竹和棕竹雙色竹絲，以色澤之變化構成圖案。竹絲之上鏤貼竹簧花紋。
現藏故宮博物院。

木　雕

【 木 雕 】

漢至西夏（公元前二〇六年至公元一二二七年）

木雕紡輪
漢-西晉
新疆且末縣扎滾魯克墓地出土。
左紡杆長34.5、紡輪直徑6.7厘米；右紡杆長37.5、紡輪直徑7.2厘米。
二器皆木質，由紡杆和紡輪組成。紡杆以樹枝削製，纏繞顏色鮮麗的紅綫。紡輪體較扁，作圓錐形，平面陽刻四組渦旋紋，一件錐體側面光素，另一件則陰刻渦旋紋。
現藏新疆文物考古研究所。

木雕狼紋盒
漢-西晉
新疆且末縣扎滾魯克1號墓地64號墓出土。
高5、長13.5、寬4.5厘米。
盒呈長方形，子母口、蓋缺失。正、背面和底面皆淺浮雕狼紋，狼作匍匐低首狀，其腹部雕刻一羚羊頭，尾側亦雕一狼頭。
現藏新疆維吾爾自治區博物館。

71

[木 雕]

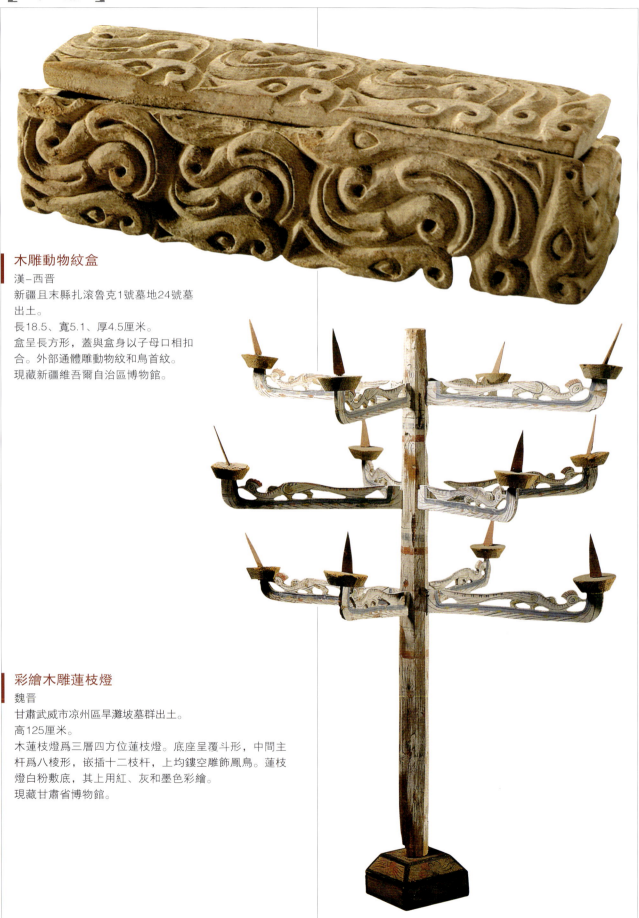

木雕動物紋盒
漢－西晉
新疆且末縣扎滾魯克1號墓地24號墓出土。
長18.5、寬5.1、厚4.5厘米。
盒呈長方形，蓋與盒身以子母口相扣合。外部通體雕動物紋和鳥首紋。
現藏新疆維吾爾自治區博物館。

彩繪木雕蓮枝燈
魏晉
甘肅武威市涼州區旱灘坡墓群出土。
高125厘米。
木蓮枝燈為三層四方位蓮枝燈。底座呈覆斗形，中間主杆為八棱形，嵌插十二枝杆，上均鏤空雕飾鳳鳥。蓮枝燈白粉敷底，其上用紅、灰和墨色彩繪。
現藏甘肅省博物館。

[木雕]

漢至西夏（公元前二○六年至公元一二二七年）

木雕連體雙鳥
南北朝
新疆洛浦縣山普拉古墓群出土。
高7.8、長13厘米。
由整木雕成。兩鳥連體，頭相背，勾嘴，長羽毛，綫刻描繪細部。
現藏新疆文物考古研究所。

木雕鷄冠壺
遼
內蒙古奈曼旗遼陳國公主墓出土。
高29.2、寬20.8–24.3厘米。
由柏木製成，為兩塊木料拼粘而成，是契丹族生活用品之典型器物。
現藏內蒙古文物考古研究所。

[木 雕]

彩繪木雕花瓶
西夏

寧夏賀蘭縣拜寺口雙塔出土。
瓶均高19.3厘米,腹徑分別為7.5、8.3厘米,底徑分別為8、8.3厘米。
一對。瓶、座連體。座上部為一圓盤,下部為覆鉢形,有圈足。瓶身通體紅色襯底,頸部貼金箔,腹部施金色牡丹花紋。花瓶中分別插一束假花,假花以纏麻紙的鐵絲為莖,以絹紗製作花朵和葉片。
現藏寧夏博物館。

【木雕】

木雕龍紋册盒
明
湖北武漢市武昌區龍泉山明代楚昭王墓出土。
高18、長29.8、寬18.4厘米。
盒體前後壁及蓋頂面浮雕雙龍，兩側壁各雕一龍，間飾以雲紋。
現藏湖北省文物考古研究所。

花梨木嵌螺鈿花鳥長方盒
明
高17、長27.3、寬16.3厘米。
盒作委角長方形，分三層，每層盒口皆嵌銅絲回紋口沿。
蓋面嵌螺鈿、染牙、犀角、大漆等，飾月季、石榴折枝花卉和綬帶鳥紋，以寓"多子、平安、長壽"之意。
現藏故宮博物院。

【 木　雕 】

明（公元一三六八年至公元一六四四年）

紫檀木百寶嵌三層長方盒

明
高21、長31、寬18.7厘米。
盒分三層，每層銜接處均嵌有銀絲回紋口沿。通體以白玉、螺鈿、瑪瑙、染牙、玳瑁、孔雀石、青金石、蜜蠟、珊瑚等料嵌群仙祝壽圖。
現藏故宮博物院。

紫檀木百寶嵌三層長方盒蓋頂面

【 木 雕 】

明（公元一三六八年至公元一六四四年）

紫檀木雕螭紋扁壺
明
高8.8厘米。
壺身通體雕螭紋及雲氣紋，口沿與底足嵌銀絲回紋爲飾。
現藏上海博物館。

紫檀木雕花嵌銀絲詩句銀裹蓋杯
明
高18.3、口徑10.7、足徑6.1厘米。
杯身通體雕蓮瓣紋，中腰刻有一束繩紋，口沿及底足嵌銀絲回紋。杯體以銀絲嵌詩句。杯底有篆體銀絲"雲間孟衷甫製"款。
現藏故宮博物院。

[木 雕]

明（公元一三六八年至公元一六四四年）

紫檀木嵌銀絲福壽六方杯

明

高8.2、口徑7.8、足徑6.8厘米。

棕褐色，單柄，六方形。口沿與底部嵌銀絲回紋，杯身循環鑲嵌銀絲"福""壽"字。杯底嵌楷書方印"雲間雪居仿古"六字。

現藏故宮博物院。

紫檀木嵌銀絲福壽六方杯另一側面

78

[木雕]

紫檀木雕荷葉枕
明
高9.8、長24.5、寬15.6厘米。
以紫檀木料鏤空淺刻成型，呈蒸栗色。枕型爲荷葉上捲合攏作包袱狀，葉邊翻捲成花瓣形，且鏤一蟲蝕小孔恰好適于側躺擱耳。枕內鏤空。
現藏故宮博物院。

明（公元一三六八年至公元一六四四年）

紫檀木雕荷葉枕頂面

[木 雕]

明（公元一三六八年至公元一六四四年）

紫檀木雕九虬紋筆筒
明
高17.5、口徑14.7厘米。
外壁雲紋爲地，通體浮雕虬龍九尾，皆糾結盤繞，用螺鈿鑲嵌瞳眼，形貌怪誕。外部口沿嵌緑松石、青金石等，飾走獸及花朵紋，并錯銀絲爲枝蔓。
現藏故宫博物院。

[木 雕]

紫檀木雕魚龍海獸筆筒
明
高16.5、口徑14.6厘米。
筒身雕魚龍海水,間以獅、馬、虎等异獸紋飾。
現藏故宫博物院。

明（公元一三六八年至公元一六四四年）

[木 雕]

明（公元一三六八年至公元一六四四年）

紫檀木雕花卉筆筒
明
高17.5、口徑16.5厘米。
筆筒呈圓形，口沿作花瓣狀。筒身淺浮雕梅花和秋葵。
現藏天津博物館。

紫檀木雕蘭花筆筒
明
高15、口徑10厘米。
整器雕作含苞待放的蘭花形。筒身采用深浮雕和透雕的技法飾周身環繞的蘭花紋，花蕾尖直挺秀，枝幹剛健蒼勁。
現藏天津博物館。

[木雕]

木雕槅扇門
明
槅扇門鏤空雕仙鶴麒麟龍鳳圖。
現藏浙江省東陽木雕博物館。

明（公元一三六八年至公元一六四四年）

83

[木 雕]

清（公元一六四四年至公元一九一一年）

黄楊木雕三螭海棠式盒
清
高9.8厘米。
造型似明代銅爐。一螭伏蓋頂，貌甚奇特，用以代鈕。
左右以螭代耳，一升一降。
現藏故宮博物院。

黄楊木雕南瓜形盒
清
高8、口徑10厘米。
通器雕作南瓜形。內外皆打磨光滑，僅瓜蒂、瓜楞略施雕琢，酷似天然南瓜。蓋內有"懷水山房"款識。
現藏南京博物院。

【 木 雕 】

清（公元一六四四年至公元一九一一年）

黃楊木雕蘭靈樹椿筆筒
清
高20.3、口徑8.3-7.2厘米。
筒身刻蘭花、靈芝、壽石等紋飾。
現藏故宮博物院。

黃楊木雕東山報捷圖筆筒
清
高17.8、口徑13.5厘米。
一面是松蔭下三老者圍石對弈、觀棋景，後立手持蓮花并相顧低語的仕女。另一面是兩名戎裝信使伏鞍策馬，疾馳報捷之景。筆筒崖壁上刻有乾隆皇帝御製詩。此筆筒有吳之璠款識。
現藏故宮博物院。

85

[木 雕]

黃楊木雕竹林七賢筆筒

清
高20.6厘米。
筒身以深浮雕技法刻竹林七賢圖。七賢或立或坐聚于竹林間，有持扇納涼，有相互寒暄，也有持杯遠望。
現藏故宮博物院。

[木 雕]

黄楊木雕梅竹筆筒
清
高15、口徑6.1、底徑7厘米。
整體造型爲竹五莖，梅花一本，竹葉梅枝交搭穿插，相互結合。
現藏故宮博物院。

清（公元一六四四年至公元一九一一年）

[木 雕]

紫檀木雕梅雀花插
清
高35、口徑14.9厘米。
花插雕作虬曲多姿的梅枝形，直立敞口，上粗下細。外壁用深浮雕和透雕技法雕琢梅花，并有三雀俏立枝頭。根脚下方有"朱清父製"篆字方印款。
現藏南京博物院。

沉香木雕漁釣圖筆筒
清
口寬12.1、底寬9.2、高11.5厘米。
以沉香木爲材，采用鏤雕、浮雕、陰刻等技法雕出山石、松柏、花草、小溪等物，并有三漁翁在溪水中垂釣、捕捉和摸取魚，刻畫出一幅栩栩如生的漁釣圖景。
現藏江蘇省蘇州博物館。

[木 雕]

沉香木雕山水筆筒
清
高14、口徑12.5、底徑9.5厘米。
筒壁雕群山、茅亭、小舟及人物，又將可成景物的沉香木粘接在適當位置，使筆筒構成一幅山水畫。
現藏故宮博物院。

清（公元一六四四年至公元一九一一年）

[木 雕]

清（公元一六四四年至公元一九一一年）

紫檀木雕嵌銀絲觥（上圖）
清
高10.1厘米，口長10.9、寬6.4厘米，腹深3.8厘米。
造型仿青銅器。用淺浮雕技法雕刻花紋，觥身三面皆飾有饕餮紋。觥柄雕作一獸頭吞吐水柱狀。上、下邊緣和柄上均嵌銀絲花紋。
現藏南京博物院。

紫檀木雕花兕觥
清
高17.5、長28厘米。
造型仿青銅器。有方體獸形鋬，無流，橢圓圈足，蓋作雙角獸首式。通體刻回紋地，其上爲變形龍紋、夔龍紋、饕餮紋及幾何紋等紋飾。
現藏故宮博物院。

90

[木雕]

木雕六角形人物宣爐罩
清

由底座、罩子兩部分組成。每面中心雕人物故事、花鳥祝壽等圖，兩側雕金龍盤柱。底座有六獸形足。金漆木雕爲廣東潮州著名工藝品。

現藏廣東省潮州工藝美術研究所。

清（公元一六四四年至公元一九一一年）

[木 雕]

清（公元一六四四年至公元一九一一年）

木雕百忍堂人物屏
清
整屏通雕"王茂生進酒"人物故事圖。
現藏廣東省潮州市博物館。

木雕大龕門肚
清
長75、寬48厘米。
雙面雕飾。此面人物故事圖爲陰面,陽面雕飾博古圖。
現藏廣東省博物館。

清（公元一六四四年至公元一九一一年）

[木 雕]

木雕十八學士龕門雕飾
清
通體鏤空雕十八學士故事圖。
現藏廣東省潮州市博物館。

清（公元一六四四年至公元一九一一年）

木雕博古花
清
長62、寬40厘米。

上部鏤雕花瓶、書案等，下部雕二象，大象似在喂食小象。
現藏廣東省博物館。

清（公元一六四四年至公元一九一一年）

【 木 雕 】

清（公元一六四四年至公元一九一一年）

| 木雕狀元及第屏門花
清
長92、寬34厘米。
中間雕狀元及第圖，兩側雕博古花，四周鏤雕花卉紋飾。
現藏廣東省博物館。

| 黃楊木雕荷花如意
清
長36厘米。
如意爲兩根交叉並立的長莖和一葉一花組成，花葉相依彎曲爲如意首，兩隻小蛙卧于葉中。柄尾刻彩帶。
現藏故宫博物院。

【木雕】

黄楊木雕葫蘆
清
高25.7、口徑3.5厘米。
大葫蘆外鏤雕蔓葉，捲鬚分枝布滿全身。連體雕五小葫蘆及飛舞的蝙蝠。大、小葫蘆均有蓋，蓋與葫蘆有長鏈連接，大葫蘆鏈上雕小葫蘆。
現藏故宮博物院。

清（公元一六四四年至公元一九一一年）

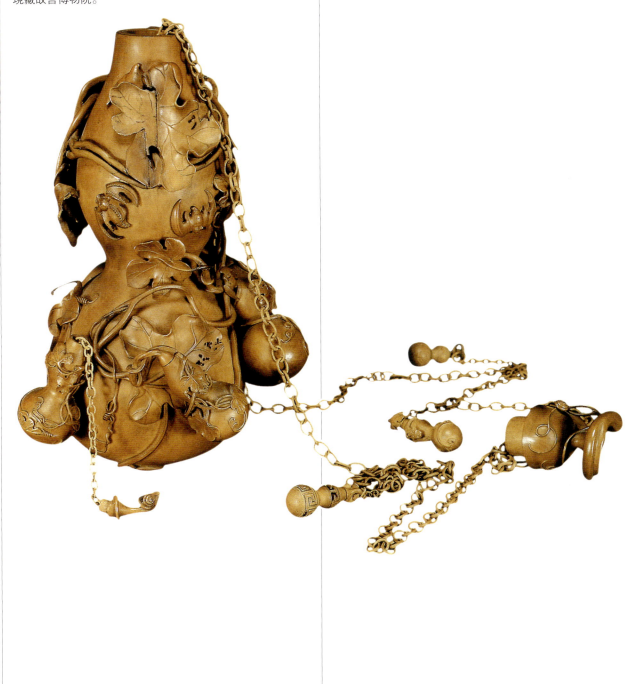

[木 雕]

清（公元一六四四年至公元一九一一年）

紫檀木雕八仙過海圖山子
清
高27厘米。
正背兩面分別雕八仙過海圖和壽星圖。
現藏故宮博物院。

【木雕】

清（公元一六四四年至公元一九一一年）

紫檀木雕八仙過海圖山子背面

[木 雕]

清（公元一六四四年至公元一九一一年）

黃楊木雕仿古擺件
清
長15.4、寬7.8、厚2.2厘米。
正面深刻透雕并陰刻樹皮和結節，背面浮雕一株松枝攀附樹幹穿插向上。
現藏江蘇省揚州博物館。

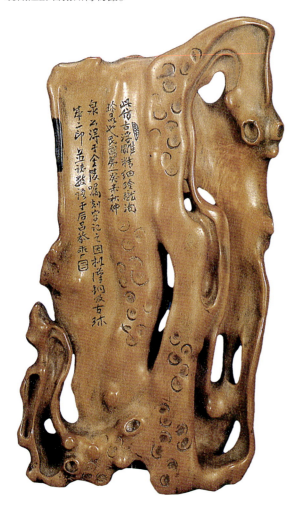

黃楊木雕仿古擺件背面

木雕

黃楊木雕達摩像
清
高13.7厘米。
以黃楊木爲料，染作蒸栗色。圓雕達摩苦修態，肩胛尖凸，鎖骨內陷，脅骨分明，兩臂瘦若枯柴，雙手如爪，脚骨露筋，坐于蒲團之上。現藏故宮博物院。

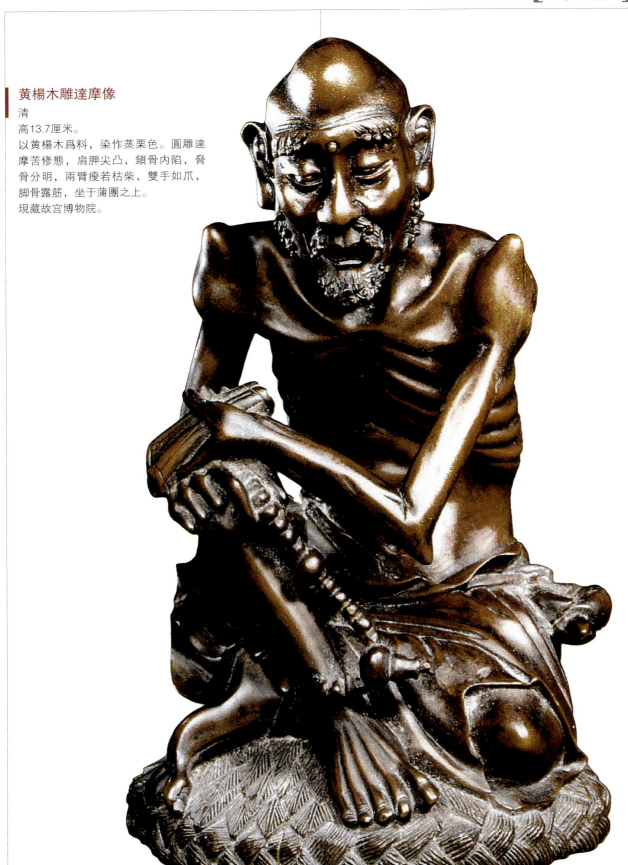

清（公元一六四四年至公元一九一一年）

[木雕]

清（公元一六四四年至公元一九一一年）

黃楊木雕李鐵拐
清
高29.3、寬8.5、厚7厘米。
李鐵拐凸額，雙唇緊閉，嘴角上撇，肩背葫蘆，赤足，執拐前行。
現藏故宮博物院。

黃楊木雕達摩像
清
高33、寬13厘米。
達摩濃眉鬈鬚，張口露齒，身着廣袖長衣，左手持杖，赤足立于石上。
現藏故宮博物院。

[木雕]

清（公元一六四四年至公元一九一一年）

黄楊木雕布袋和尚像
清
高21厘米。
布袋和尚胖頭大耳，笑容可掬，身着垂領寬袖長衫，袒胸露腹，雙足赤裸，肩扛布袋，腰挂水壺。
現藏中國國家博物館。

103

[木 雕]

清（公元一六四四年至公元一九一一年）

黄楊木雕李鐵拐像
清
高63厘米。
李鐵拐面部顴骨突起，鬍鬚捲曲，大眼寬鼻，胸飾道珠。右手扶一鐵杖，右足落地支撐全身；左腿曲舉，左足踏于鐵杖上，左手執壺，仰面喝酒。現藏安徽省博物館。

[木雕]

黃楊木雕卧榻仕女像
清
高6.1、長11.1厘米。
作品以唐代女詩人魚玄機爲素材，刻畫出一位倚書卧榻作凝思狀的仕女形象。下襯黑漆描金勾蓮紋卧榻和織錦墊褥。
現藏故宮博物院。

清（公元一六四四年至公元一九一一年）

[木 雕]

清（公元一六四四年至公元一九一一年）

黄楊木雕臥牛
清
高8、身長12.3厘米。
母牛臥地，曲頸昂首；
小牛奔馳其側，回首與
母牛相對。
現藏故宮博物院。

黄楊木雕牧童騎牛
清
高12.3、長15.5厘米。
老牛曲腿昂首伏臥在
地，小童騎坐于牛背
上，雙手緊抓牛背。
現藏故宮博物院。

【 木 雕 】

清（公元一六四四年至公元一九一一年）

紅木雕童子牧牛
清
高12.5、長27厘米。
牛臥伏，雙目圓瞪，回首而望，似發出叫聲。背側一頑皮牧童左手拉繮繩，作向上攀爬狀。
現藏安徽省博物館。

紅木雕臥龍
清
高12.4、長34.2厘米。
作品由紅木雕作龍負火珠形。龍偃臥，首尾相應，身下透雕雲氣紋。
現藏南京博物院。

[木 雕]

清（公元一六四四年至公元一九一一年）

樺木百寶嵌花果長方匣
清
高9.5、長21.3、寬12.2厘米。
長方委角形，匣中有屜。口沿嵌銀絲回紋，通體以青金石、金星石、螺鈿、芙蓉石、松石、孔雀石等料嵌花鳥圖。
現藏故宮博物院。

樺木百寶嵌花果長方匣蓋頂面

[木 雕]

紫檀木百寶嵌花卉人物方匣
清
高7.2、邊長12.6厘米。
盒正方形,四邊有銅框。盒四壁及面以象牙、螺鈿、瑪瑙、珊瑚、青金石等料嵌四季花卉、福祿壽三星圖等紋飾。
現藏故宮博物院。

紫檀木百寶嵌花卉人物方匣蓋頂面

清（公元一六四四年至公元一九一一年）

[木 雕]

清（公元一六四四年至公元一九一一年）

紫檀木百寶嵌花果筆筒
清
高15、口徑13、底徑12.1厘米。
以紫檀木爲料，作圓筒形。周身鑲嵌各種顏色的寶石爲枸杞花蝶紋飾。
現藏故宮博物院。

紫檀木百寶嵌花鳥筆筒
清
高13.1、口徑10.2、底徑9.5厘米。
筒壁以染牙、螺鈿、孔雀石等料嵌飾竹、梅花、綬帶鳥等圖案。
現藏故宮博物院。

110

骨雕

【 骨 雕 】

新石器時代至東漢（公元前八〇〇〇年至公元二二〇年）

骨鏢
裴李崗文化
河南舞陽縣賈湖遺址出土。
長13.3–18.4厘米。
骨鏢用動物肢骨雕成，是早期的漁獵工具。
現藏河南省文物考古研究所。

骨雕人頭像
仰韶文化
陝西西鄉縣何家灣出土。
高2.5厘米。
用獸類肢骨雕成。
現藏陝西歷史博物館。

[骨 雕]

新石器時代至東漢（公元前八〇〇〇年至公元二二〇年）

骨雕竹節狀匕
仰韶文化
陝西扶風縣案板遺址出土。
左匕長4.8、右匕長5.6厘米。
利用動物骨片雕磨而成。兩骨匕柄部皆雕磨成竹節狀。
現藏陝西省西北大學歷史博物館。

骨鐮
河姆渡文化
浙江餘姚市河姆渡遺址出土。
殘長17.5厘米。
利用動物骨片雕磨而成。柄部刻弦紋和幾何紋，末端有一圓穿孔。
現藏浙江省博物館。

114

[骨 雕]

新石器時代至東漢（公元前八〇〇〇年至公元二二〇年）

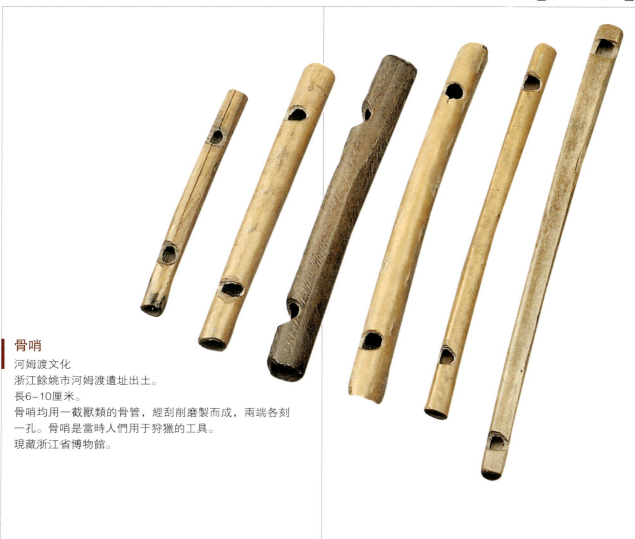

骨哨
河姆渡文化
浙江餘姚市河姆渡遺址出土。
長6–10厘米。
骨哨均用一截獸類的骨管，經刮削磨製而成，兩端各刻一孔。骨哨是當時人們用于狩獵的工具。
現藏浙江省博物館。

骨雕鷹頭像
新開流文化
黑龍江密山市新開流遺址出土。
長7厘米。
鷹頭喙長而闊，前端向下彎曲，頭微微隆起，眼睛爲一圓洞。
現藏黑龍江省文物考古研究所。

【骨 雕】

新石器時代至東漢（公元前八〇〇〇年至公元二二〇年）

鑲綠松石骨雕筒
大汶口文化
山東泰安市大汶口出土。
高7.7厘米。
骨筒呈圓角三棱柱形，上小下大。口部與底部各飾三道突起弦紋，腹部鑲嵌上下兩周綠松石，中間以八道突起的弦紋相分隔。
現藏山東省曲阜市文物局。

鑲骨珠簪
馬家窑文化
甘肅永昌縣鴛鴦池出土。
長11厘米。
骨簪柄部塗有一周黑樹膠，上黏三十六顆圓環形骨珠，頂部接一白色圓骨片。
現藏甘肅省博物館。

116

【骨 雕】

骨梳
商
山東滕州市前掌大商代墓葬出土。
高10厘米。
由動物骨片雕磨而成。柄部刻弦紋,頂端有一圓穿孔。
現藏中國社會科學院考古研究所。

骨魚
商
山東滕州市前掌大商代墓葬出土。
高12.6厘米。
器物雕成魚狀,陰刻出頭、身、尾三部分,中部一側有弧形缺口。
現藏中國社會科學院考古研究所。

新石器時代至東漢(公元前八〇〇〇年至公元二二〇年)

【骨 雕】

骨蟬
商
山東滕州市前掌大商代墓葬出土。
高5.5厘米。
器物雕成扁體蟬形，陰刻出蟬身各部分，頭部有對稱兩圓孔，兩翼中間有一穿孔。
現藏中國社會科學院考古研究所。

雕花骨梳
公元前1000年
新疆哈密市五堡墓葬出土。
長11.1、寬2.6–6.1、柄長5厘米。
磨製而成，近似三角形。柄部正面雕刻兩組旋渦紋；背面刻凸棱，中穿一小孔。梳共有九齒，皆完好無損。
現藏新疆文物考古研究所。

【 骨 雕 】

新石器時代至東漢（公元前八〇〇〇年至公元二二〇年）

骨雕香薰
春秋
山東濟南市長清區仙人臺遺址出土。
左器高3.5、寬4厘米，右器高3、寬4.2厘米。
一對。香薰采用綫雕、半浮雕、透雕、圓雕等技法，蓋頂爲一對獸頭捉鈕，腹部透雕蟠螭紋。
現藏山東大學博物館。

狩獵紋骨飾
西漢
內蒙古包頭市出土。
高7.7、直徑4.5厘米。
呈圓柱形，頂部開口傾斜，外壁用針刻法繪出飛鳥、奔跑的野猪、搭弓射箭的獵手等圖案，兩端飾兩周交叉綫紋。
現藏中國國家博物館。

119

[骨 雕]

新石器時代至東漢（公元前八〇〇〇年至公元二二〇年）

狩獵紋骨飾
西漢
河南陝縣後川漢墓出土。
高7.2、底徑3.1-3.2厘米。
中空，外壁刻畫有獵鹿場面。
現藏中國社會科學院考古研究所。

狩獵紋骨飾狩獵場景之一

狩獵紋骨飾狩獵場景之二

【 骨 雕 】

新石器時代至東漢（公元前八〇〇〇年至公元二二〇年）

動物紋骨飾
東漢
陝西榆林市走馬梁漢墓出土。
高8.5、直徑4厘米。
圓柱形。外壁彩繪雲氣紋及野豬、虎等動物紋，口沿與底部繪連續的三角形紋。
現藏陝西省榆林市文物管理委員會。

動物紋骨飾動物場景之一

動物紋骨飾動物場景之二

【 骨 雕 】

新石器時代至東漢（公元前八〇〇〇年至公元二二〇年）

骨龍首鏟
東漢
陝西神木縣大保當漢墓出土。
長22.5厘米。
鏟柄部雕成龍首形。
現藏陝西省榆林市文物管理委員會。

狩獵紋骨板
東漢
內蒙古呼倫貝爾市札賚諾爾墓群出土。
長15、寬2.5、厚0.3厘米。
骨板呈長方形，上面尚留有十五個長形或圓形小穿孔，一面綫刻獵人射鹿圖案。
現藏內蒙古博物院。

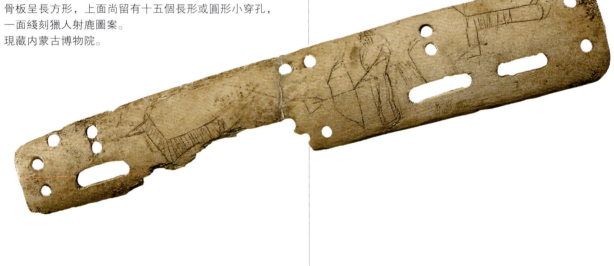

【 骨 雕 】

新石器時代至東漢（公元前八〇〇〇年至公元二二〇年）

鹿首骨飾
漢
新疆吐魯番市交河溝北1號臺地28號墓出土。
長約11厘米。
用動物骨骼浮雕出鹿的面部和五官，鼻眼之間刻有溝形紋和弧狀三角紋，頭頂裝飾凸起的方格紋，鹿角向上彎曲，透雕成花瓣形，下頜處有一鑽透的圓形繫孔。
現藏新疆文物考古研究所。

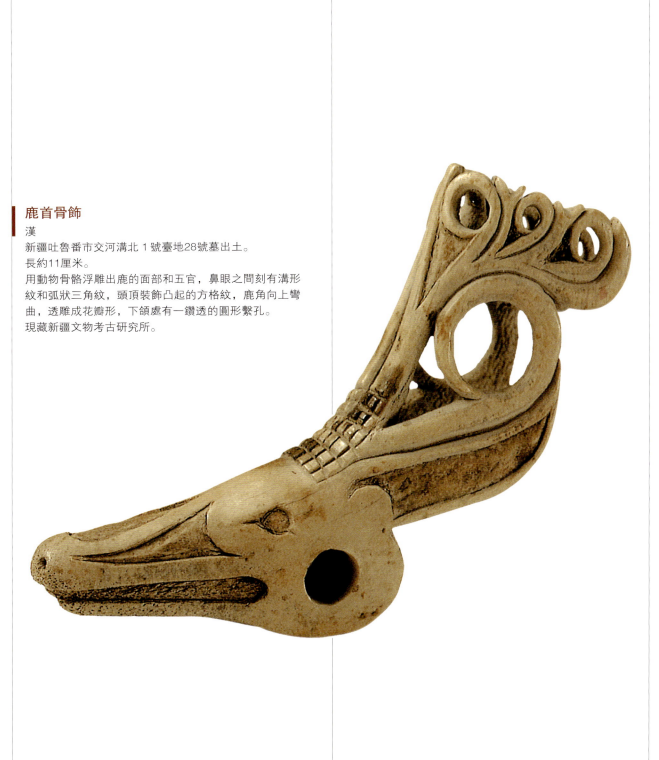

123

牙　雕

[牙 雕]

新石器時代至元（公元前八〇〇〇年至公元一三六八年）

象牙雕圓形器
河姆渡文化
浙江餘姚市河姆渡遺址出土。
高2.4厘米。
器呈橢圓形，圜底，中空作長方形，口沿處有兩對小孔，孔壁飾羅紋，外壁刻席紋和蠶紋各一周。
現藏浙江省博物館。

象牙雕雙鳥朝陽
河姆渡文化
浙江餘姚市河姆渡遺址出土。
高5.9、寬16.6厘米。
正面陰綫雕刻同心圓太陽及火焰紋，兩側刻相對雙鳥，昂首向陽，器身鑽有多個小圓孔，綫條簡練流暢，表現出原始先民對太陽的崇拜。
現藏浙江省博物館。

[牙 雕]

新石器時代至元（公元前八〇〇〇年至公元一三六八年）

象牙雕鳥形匕
河姆渡文化
浙江餘姚市河姆渡遺址出土。
長17厘米。
匕端雕成雙頭禽鳥狀，柄部方形，作鳥身，其上綫刻折綫紋與弦紋，一側有圓孔，匕身橢圓形，磨光成鳥羽狀。
現藏浙江省博物館。

象牙雕鳥形匕
河姆渡文化
浙江餘姚市鯔山遺址出土。
長13.6厘米。
象牙圓雕，一端作鳥頭，正面剔刻植物花草紋，側視如飛翔的猛禽。背面鏤挖可供繫挂的小孔。
現藏浙江省文物考古研究所。

象牙雕鳥形匕側視

[牙 雕]

象牙梳
大汶口文化
山東泰安市大汶口出土。
長16.2、頂寬8厘米。
背厚齒薄,共有十七個細密的梳齒,梳背采用鏤雕技法,刻出三行條孔組成的迴旋紋圖案,頂部有三個圓形穿孔。
現藏中國國家博物館。

玉背象牙梳
良渚文化
浙江海鹽縣周家浜遺址出土。
高10.5、玉背頂寬6.4、象牙梳頂寬4.7厘米。
由冠狀飾玉背和六齒象牙梳鑲嵌組合而成。玉背素面,象牙梳背上刻席紋與雲雷紋,二者用兩枚橫向銷釘固定在一起。牙玉合璧,十分少見。
現藏浙江省文物考古研究所。

新石器時代至元(公元前八〇〇〇年至公元一三六八年)

[牙 雕]

象牙雕夔鋬杯
商
河南安陽市殷墟婦好墓出土。
高30.5厘米。
杯與把手以卯榫相連接。杯身裝飾分爲四層,主體紋飾爲饕餮紋和夔紋,獸的口、鼻、眼、耳、角等部位鑲嵌綠松石,四層紋飾之間亦用環繞杯身的綠松石加以分隔。鋬作倒置夔形,其上飾鷹紋、獸面和獸首。
現藏中國社會科學院考古研究所。

【 牙 雕 】

象牙雕虎鋬杯
商
河南安陽市殷墟婦好墓出土。
高42厘米。
器表刻鳥紋、夔紋和饕餮紋，杯鋬下端立雕虎形。
現藏中國社會科學院考古研究所。

新石器時代至元（公元前八〇〇〇年至公元一三六八年）

[牙 雕]

新石器時代至元（公元前八〇〇〇年至公元一三六八年）

象牙魚形飾
商
山東滕州市前掌大商代墓葬出土。
長15.5厘米。
魚呈長條狀，陰綫刻畫頭部，身上以魚子紋爲地，雕刻鹿紋與蟬紋。
現藏中國社會科學院考古研究所。

象牙杖首
西周
陝西西安市長安區張家坡西周墓地出土。
每件高約7、徑2.4-2.7厘米。
兩件。用弧形彎曲的象牙雕刻而成，頂端雕刻成虎頭狀，有一對巨大的"S"形角，體表刻淺槽，内填緑松石，體内中空，用以套在杖端。
現藏中國社會科學院考古研究所。

【牙雕】

象牙劍鞘
春秋
河南洛陽市東周墓葬出土。
長40.6厘米。
鞘呈三棱柱形,柄部雕四道凸弦紋,正中脊上出一柱狀短棱,下部浮雕羊角形裝飾。
現藏中國社會科學院考古研究所。

象牙梳
西周
北京房山區琉璃河燕國遺址出土。
高16.9厘米。
梳正面刻饕餮紋。
現藏首都博物館。

新石器時代至元(公元前八〇〇〇年至公元一三六八年)

[牙 雕]

象牙雕雲龍紋金座牌
戰國
山東曲阜市魯國故城東周墓出土。
長15.8、寬7.3厘米。
象牙板呈長方形，染成黑色，表面淺浮雕彩繪雲龍紋飾，與同時期青銅器紋樣風格一致。象牙座牌呈長方丁字形，金質。
現藏山東省曲阜市文廟。

象牙刻虎紋板
西漢
河北滿城縣陵山漢墓出土。
長4、殘寬1.8厘米。
表面磨光，細綫陰刻虎紋。
現藏河北省博物館。

金扣象牙卮

西漢

廣東廣州市象崗山南越王墓出土。
高5.8厘米。
由象牙卮蓋、象牙卮身和金質卮座三個部分組成。卮蓋表裏和卮身外表均飾針刻綫畫，牙筒中部針刺神獸紋，并用朱、藍兩色填出獸體。
現藏廣東省廣州南越王墓博物館。

新石器時代至元（公元前八〇〇〇年至公元一三六八年）

【牙雕】

[牙 雕]

新石器時代至元（公元前八〇〇〇年至公元一三六八年）

象牙尺
漢
內蒙古磴口縣漢墓出土。
長約23厘米。
尺呈扁長條形。象牙經過染色，正中刻繪彩色龍鳳圖案，兩側刻折綫紋與網格紋。沿尺兩個長邊有一百個均勻的刻度，靠近一端處有一圓孔。
現藏內蒙古博物院。

象牙尺
西晉
北京石景山區八寶山西晉華芳墓出土。
長24.2、寬1.6厘米。
尺兩面上下邊沿各刻邊綫一條，分成十寸，在寸的刻度綫兩端五分刻度綫的正中雕出規整的圈點。在半尺的分界綫中部兩側各刻一同樣圈點。尺上所有的圓圈大小相等，皆爲陰綫。
現藏首都博物館。

[牙 雕]

染綠撥鏤象牙尺
唐
長29.7、寬2.22厘米。
尺正面一寸爲一格，共十格，格内分別飾團花、含綬鳥和瑞獸。尺背面飾折枝花和含綬鳥。象牙撥鏤是以象牙染成紅、綠等色後，在表面鏤以花紋的技法，唐代已非常流行，并且影響到明清時期的象牙細刻及象牙平面微雕。
現藏日本奈良正倉院。

染綠撥鏤象牙尺背面

新石器時代至元（公元前八〇〇〇年至公元一三六八年）

137

[牙 雕]

染紅撥鏤象牙尺
唐
長30.7、寬3.1厘米。
尺正面一寸爲一格，共分十格，五個格內裝飾團花，另五個格內裝飾鳥獸紋。尺背面裝飾鳥獸、樓閣和花卉紋。
現藏日本奈良正倉院。

染紅撥鏤象牙尺背面

【牙雕】

染紅撥鏤象牙尺
正面局部

染紅撥鏤象牙尺
背面局部

新石器時代至元（公元前八〇〇〇年至公元一三六八年）

139

[牙 雕]

新石器時代至元（公元前八〇〇〇年至公元一三六八年）

象牙雕鞠球圖筆筒
宋
高16.1、直徑10.9厘米。
采用陰刻填黑技法，刻五人踢球游戲圖，背景有樹木迴廊，是目前可見最早的蹴鞠畫面。
現藏安徽省博物館。

象牙雕飾件
元
遼寧喀喇沁左翼蒙古族自治縣大城子出土。
高4.2、長6.9厘米。
采取剪影的形式，以鏤雕綫刻的手法，雕出一作展翅欲飛狀的鴻雁。背景爲一株蘭花，花頭朝上，含苞待放。飾件右側和底部以捲草紋鑲邊。
現藏遼寧省博物館。

象牙雕筆架

明

高7.9、寬3.8、長16厘米。

象牙圓雕，底部爲海潮紋，雙龍盤繞于五峰之間，龍首浮雕，以綫刻手法表現龍身鱗紋。底部有"大明弘治年製"款。

現藏故宫博物院。

象牙雕筆架背面

【 牙 雕 】

象牙雕荔枝螭紋方盒
明
高8.2厘米。
由蓋與身兩部分組成。蓋口與盒口雕一周回紋，蓋面淺浮雕雙螭紋，其餘部位飾荔枝紋。爲宣德時期作品。現藏故宮博物院。

【 牙 雕 】

明清（公元一三六八年至公元一九一一年）

象牙雕雙螭瓶
明
高11.5、口徑2.8厘米。
瓶壁雕兩螭虎，一螭虎立附于瓶腹，另一螭虎爪扒瓶口，背腹部瓶表雕司馬光詩句。
現藏南京博物院。

象牙雕松蔭策杖圖筆筒
明
高15.8、口徑8、足徑8.8厘米。
呈上凹下凸的竹節狀。采用浮雕刮地法刻繪紋飾，一策杖老翁與一小童立于畫面主體位置，背景爲高聳入雲的松樹。
現藏故宮博物院。

[牙 雕]

明清（公元一三六八年至公元一九一一年）

象牙雕歲寒三友筆筒
明
高12.7、口徑9厘米。
采用毛雕手法刻繪松、竹、梅、蘭、石圖案，并附刻行楷書七言詩一首。
現藏故宮博物院。

象牙雕八仙慶壽紋笏板
明
長54、上寬6.7、下寬9厘米。
笏板呈圭形，兩面鏤空浮雕八仙慶壽圖案。
現藏山東省泰山風景名勝區管理委員會。

144

【 牙 雕 】

明清（公元一三六八年至公元一九一一年）

象牙雕雙陸棋子
明
高10.4、底徑2.1厘米。
棋子上淺刻山水人物，一爲二人面對高山，縱情談論，一爲高山溪邊，幾人把卷展讀，另有二人側坐傾聽。
現藏故宮博物院。

象牙雕雙陸棋子
明
高13.9、底徑2.9厘米。
以紅、黑爲地，淺刻薄地陽文。
現藏故宮博物院。

145

【牙　雕】

象牙雕送子觀音
明
高13.5厘米。
觀音束髮高髻，身着廣袖束腰寬帶衣裙，左手抱嬰，右臂下垂，手指捏佛指印。
現藏故宮博物院。

象牙雕觀音送子像
明
高11厘米。
觀音髮髻高聳，身着披肩與大氅，雙手托一嬰兒。面容慈祥，表情淡然，坐于一木雕圓座之上。
現藏故宮博物院。

【牙雕】

象牙雕壽星像
明
高30、底寬6厘米。
圓雕人物像,壽星面目慈祥,身穿長衫,左手執扇,右手拄杖。
現藏廣東省博物館。

象牙雕駝背老者像
明
高8.6厘米。
老者背部高聳,雙手籠袖拱抱于胸前,正伸頭向前探視。袍下擺左側刻篆書"王子卯製",背刻篆書"磨兜堅,慎勿言"。
現藏南京博物院。

明清(公元一三六八年至公元一九一一年)

147

[牙 雕]

明清（公元一三六八年至公元一九一一年）

象牙雕花卉圓盒
清
高4、口徑5.7、底徑6.3厘米。
盒壁與盒蓋均鏤雕錢紋錦地，頂蓋上雕一枝盛開的鮮花，枝條上伏臥一隻螞蚱，盒口與近足處均飾一周藍地回紋，盒壁雕折枝花果紋。
現藏故宮博物院。

象牙雕花卉粉盒
清
高12、口徑11.5厘米。
呈圓筒形，雙層圓盤式盒蓋，上雕螭形鈕，盒通體透雕各式花卉。
現藏廣東省博物館。

象牙雕方盒

清
高4.8、長11.2、寬7.5厘米。
長方形，蓋與身以合頁連接，通體雕鏤空錢紋錦地，蓋面及盒四壁都有開光，内雕人物花卉紋飾。底板是由極薄的牙片鑲上，四足上飾有獸面紋。為熏香工具。
現藏南京博物院。

象牙雕花卉長方盒

清
高10、長14.8、寬7.6厘米。
由四十二塊大小不同的牙片拼鑲而成。盒蓋、盒體通體鏤雕勾連紋綿地，錦地上浮雕染色番枝蓮花紋。盒體下有填彩流雲紋人足座。
現藏故宮博物院。

【 牙 雕 】

象牙雕六方盒
清
高10.1厘米。
盒呈六方體，盒蓋及盒壁均鏤雕"卍"字錦地，頂蓋與盒壁每一面都有染色捲草開光，內飾山水、村莊、人物圖案，底座通飾各色捲雲紋。
現藏故宮博物院。

象牙雕竹石圓盒
清
高2、直徑5.4厘米。
為一圓形印泥盒，蓋面開雙綫圓光，內飾淺浮雕竹石圖案，盒底刻"雍正年製"楷書款。
現藏故宮博物院。

【 牙 雕 】

象牙雕山水八瓣式盒
清
高12.8、直徑39.6厘米。
盒面、盒壁均以藍色梅花錦紋作邊框。盒面通刻梅紋錦地，中間刻五蝠捧壽雲紋圖案，八瓣分別爲八寶和捲草紋。蓋壁浮雕山水樓閣和人物故事圖案。
現藏故宮博物院。

明清（公元一三六八年至公元一九一一年）

【 牙 雕 】

象牙雕鵪鶉盒

清

高5.5、長10.9厘米。

鵪鶉喙部緊閉，眼睛瞪圓，頭稍向後縮，雙爪埋在腹下。

現藏故宮博物院。

象牙雕提梁卣

清

高8.1、口徑3.9、足徑4.2厘米。

蓋透雕團壽紋，頸部刻一周回紋，腹部雕鏤空回紋。卣附雙耳，上連套環提梁。

現藏故宮博物院。

【 牙 雕 】

明清（公元一三六八年至公元一九一一年）

染牙雕桃蝠蓋碗
清
高9.5、口徑11.5厘米。
圓形、敞口、光素裏，鏤空盤結花枝形圈足。碗壁刻蟠桃花枝紋，兩隻蝙蝠飛舞其間。寓意"福壽"。
現藏故宮博物院。

染牙雕桃蝠蓋碗蓋頂面

【牙 雕】

象牙雕多穆壺
清
高41.8、口徑9.6厘米。
壺身呈竹節形,共有十一節,鑲銅箍三道,固定在一側的銅骨架上,骨架上安一鐵鏈,鏈上穿兩顆銅球。僧帽形口沿上雕二龍戲珠紋,流部為龍首形,龍頭為銅製。現藏西藏自治區拉薩市羅布林卡。

象牙鏤雕人物塔式瓶(右圖)
清
高58.5厘米。
象牙瓶為塔式,由蓋和瓶身分多層組合而成。瓶頸兩側對稱雕有獸面,獸口銜環。通體以人物、花卉、樓臺亭榭和園林風光為主,間以纏枝紋、仰蓮紋和回紋等紋飾。
現藏江蘇省揚州博物館。

[牙 雕]

明清（公元一三六八年至公元一九一一年）

象牙雕大吉葫蘆式花熏
清
高18.8、口徑2.8厘米。
通體鏤雕錢紋錦地，其上圓雕五彩折枝花果、花卉、枝蔓等紋飾，腹兩面各開上下兩圓光，一面楷書描金"大""吉"二字，另一面篆書描朱"囍"字，蓋內有鏤雕長鏈與內底座相連，并有三條支鏈各繫一小葫蘆。
現藏故宮博物院。

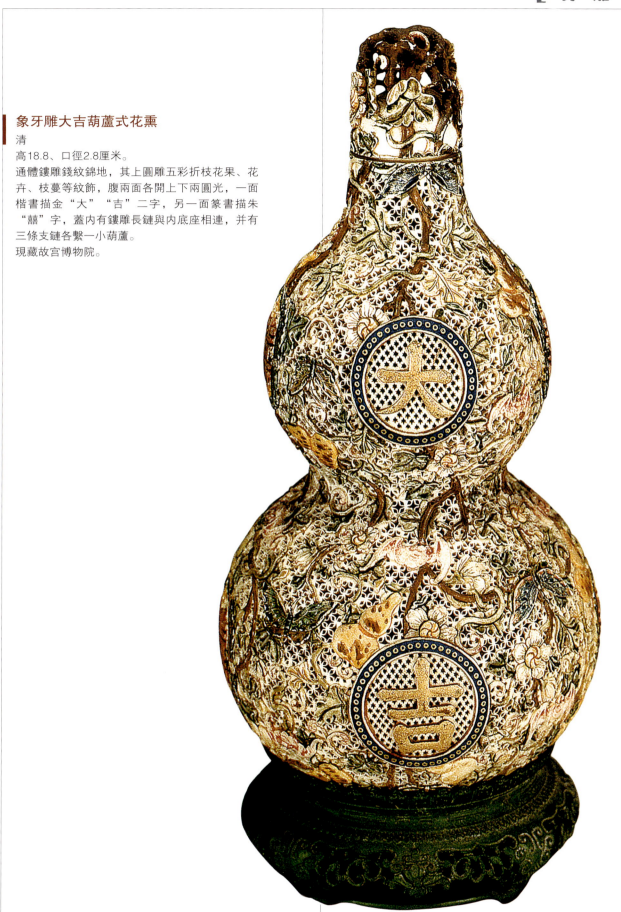

[牙 雕]

象牙雕回紋葫蘆式花熏
清
高9.3、口徑1.4、腹徑4厘米。
象牙染色雕成葫蘆形狀，葉狀蓋，內雕鏈與之相連，鏈上有鏟、球、小葫蘆等飾件。壺腹部飾鏤空回紋，頸部刻繪纏枝花卉。
現藏故宮博物院。

象牙雕香筒
清
通蓋高23.9、座徑4.6厘米。
圓形仰覆蓮座，筒身鏤空，透雕夔紋，上接雙層蓮花座，頂覆亭式蓋。
現藏故宮博物院。

[牙 雕]

象牙雕冠架
清
高27.5、足徑11.6厘米。
象牙染成綠色,頂端爲一鉢式盒,蓋鏤空。中部自上而下,由覆式瓶、葫蘆瓶、寶瓶構成槳柱,每節皆可啓閉,底座亦然。遍體用鏟地法作浮雕雲紋、回紋和蓮瓣紋爲飾。
現藏故宫博物院。

象牙雕臺燈
清
高42、口徑7、底徑10.5厘米。
燈頂部立一孔雀,回首下望。燈罩爲筒形,其上鏤雕葵花和兩對孔雀。燈座上緣刻一周葵花,下爲三蹄足,蹄足之間有鏤雕草葉紋。
現藏西藏自治區拉薩市羅布林卡。

明清（公元一三六八年至公元一九一一年）

[牙 雕]

象牙雕太白人物臂擱
清
長25.3、寬6、厚2.5厘米。

臂擱正面浮雕太白飲酒圖，李白舉杯仰視，小童在身後偷飲。背面浮雕花鳥魚蟹圖。
現藏故宮博物院。

明清（公元一三六八年至公元一九一一年）

象牙雕太白人物臂擱背面

象牙雕松蔭雅集圖臂擱
清
長24、寬6、厚1.9厘米。

臂擱正面浮雕高閣遠帆圖，背面浮雕松蔭雅集圖，畫面人物衆多，形態各异。
現藏故宫博物院。

象牙雕松蔭雅集圖臂擱背面

[牙 雕]

象牙雕菊石柳鵝臂擱
清
長12.4、寬4.9、厚1.5厘米。
臂擱正面雕壽菊靈石圖，背面雕垂柳牧鵝圖。
現藏故宮博物院。

象牙雕菊石柳鵝臂擱背面

【 牙 雕 】

明清（公元一三六八年至公元一九一一年）

象牙雕花插
清
高9、寬7.7厘米。
花插作竹根狀，一根底部生有許多小芽，上雕二蜘蛛；另一根從底部滋生枝葉，葉上臥秋蟲一隻。
現藏故宮博物院。

象牙雕人物臂擱
清
高14、寬6.3厘米。
臂擱正面刻畫了海水、太陽，並用回紋做上下裝飾。反面浮雕騎馬過橋圖，遠景為山石、雲朵和樹木，近景為一長者騎馬過橋時馬夫在前用力牽馬的景象，人物鬚髮及馬鬃均染成黑色。
現藏江蘇省蘇州博物館。

[牙 雕]

象牙雕除夕插梅圖人物筆筒
清

高15.1、口徑9.8厘米。
口微撇,壁上淺浮雕通景"除夕插梅圖"。在一群松環繞的山間茅屋裏,一位高士坐在爐旁,翹首朝外張望,屋外一人手捧着插滿梅花的花瓶向茅屋走來。圖景旁浮雕行書詩"山家除夕無他事,插了梅花便過年",落款"希黄作于天春館"。張希黃爲清初竹雕名家,創留青刻法,此器爲其牙雕作品。
現藏南京博物院。

象牙雕梅花筆筒
清

高15.3、口徑12.2-11厘米。
筆筒外壁雕成樹樁狀,瘦孔星布。再分兩部分雕圖案,一爲松枝橫插,一爲梅枝斜垂。
現藏故宫博物院。

【 牙 雕 】

象牙雕漁樵圖筆筒
清
高14、口徑11.2、底徑10厘米。
筒壁飾通景漁樵圖案。樵夫們有的坐在樹下聊天，有的結伴進山砍柴，兒童伏臥在牛背上，神態安然自得。現藏故宮博物院。

明清（公元一三六八年至公元一九一一年）

【 牙 雕 】

象牙雕漁樂圖筆筒
清
高12、口徑9.7、底徑9.7厘米。
筒壁飾通景柳溪漁樂圖。一面上方刻乾隆楷書題詩："網得魚蝦足酒錢，醉來蓑笠伴身眠。漫言泛宅曾無定，一曲漁歌傲葛天。"署"乾隆御題"，鈐"日新"、"宸翰"小璽。另一面下方刻"乾隆戊午長至月，小臣黃振效恭製"款。黃振效爲廣東牙雕名手，風格學嘉定派竹雕。
現藏故宮博物院。

【牙雕】

象牙雕四季花卉方筆筒
清
高12.1厘米。
八方式筆筒,四面開光,內鏟平地浮雕四季花卉,折角處飾浮雕螭紋。
現藏故宮博物院。

象牙雕四季花卉方筆筒之梅花

象牙雕四季花卉方筆筒之荷花

明清（公元一三六八年至公元一九一一年）

【 牙 雕 】

象牙雕山水人物方筆筒
清
高10.4、長6.8、寬6.3厘米。
筆筒呈長方形，四面開光，每面用高浮雕手法刻荷亭納凉圖、長松獨步圖、山亭聳秀圖和水村野渡圖。
現藏故宫博物院。

象牙雕群龍飛舞筆筒
清
高10.3、口徑5.3厘米。
筒沿下飾一周蓮瓣紋，筒身爲鏤空透雕錢紋錦地，其上盤繞姿態各异的群龍，近底處爲一周花卉紋飾。
現藏南京博物院。

象牙黑漆地描金花卉筆筒

清

高14、口徑11.5–10.2厘米。

筒壁面上分別刻玉蘭、芍藥、竹菊、芙蓉、梅花和秋海棠等花卉。

現藏故宮博物院。

【 牙　雕 】

染牙雕嬰戲筆筒
清
高13.4、口徑10.6厘米。
筒壁雕數名小童舉花燈在山林小路上前行，其間有大象背馱寶瓶，小鹿口銜靈芝前呼後應奔躍在小童身旁。現藏故宮博物院。

【 牙 雕 】

明清（公元一三六八年至公元一九一一年）

象牙雕松鼠葡萄筆洗
清
高14、長20.1、寬11.1厘米。
洗作曲邊葡萄葉形，內部刻畫葉脈紋，葡萄與枝蔓縈繞洗中，兩隻松鼠各抱一珠果正津津有味地啃食，另有一長尾蜻蜓附在上捲的葉邊向內窺視。
現藏故宮博物院。

象牙雕葡萄草蟲碟
清
長18.5、寬13厘米。
作品以一片連有藤蔓的捲邊葡萄葉爲碟，碟內用細綫陰刻葉脈，高浮雕一串葡萄、甲蟲、菊花和匍匐的松鼠。
現藏安徽省博物館。

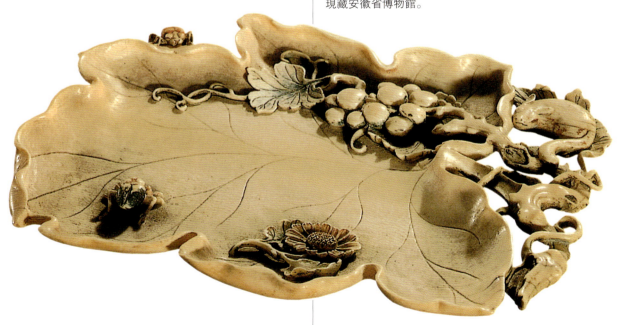

169

【牙雕】

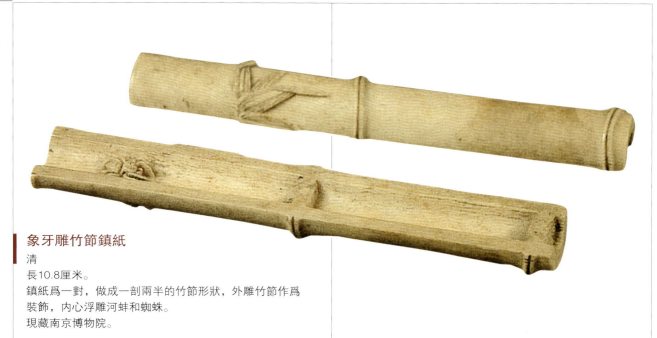

象牙雕竹節鎮紙
清
長10.8厘米。
鎮紙爲一對,做成一剖兩半的竹節形狀,外雕竹節作爲裝飾,內心浮雕河蚌和蜘蛛。
現藏南京博物院。

象牙雕雲龍紋火鐮套
清
長11.2、寬5.9厘米。
荷包形,通體高浮雕雲龍紋,內有"乾隆壬戌,振效恭製"款。
現藏故宮博物院。

【 牙 雕 】

明清（公元一三六八年至公元一九一一年）

象牙雕雲龍紋火鐮套
清
長8、寬7.4厘米。
呈覆鐘形，通體浮雕雲龍紋，小巧華貴。
現藏故宮博物院。

象牙鏤雕花卉香囊
清
長5.2厘米。
呈不規則方形，四轉角處雕雲頭紋，正反兩面鏤空透雕錦紋爲地，染色雕靈芝、蟠桃、蝴蝶等紋飾。紋飾分成兩組，中間有一條帶狀雲紋分割。
現藏故宮博物院。

171

【牙雕】

明清（公元一三六八年至公元一九一一年）

象牙編織花鳥團扇
清
長49.8、寬29.4厘米。
扇邊包鑲玳瑁框，嵌骨珠藕荷色地彩繪花卉紋珐琅柄。扇面用牙絲編織蒲紋錦地，其上雕月季花和翠鳥。
現藏故宮博物院。

象牙編織松竹梅執扇
清
長54.6、首寬34.5厘米。
扇邊包鑲玳瑁框，嵌骨珠折枝花卉紋珐琅方柄。扇面用牙絲編織成蒲紋錦地，其上雕松樹、梅花、凌霄和靈芝等。
現藏故宮博物院。

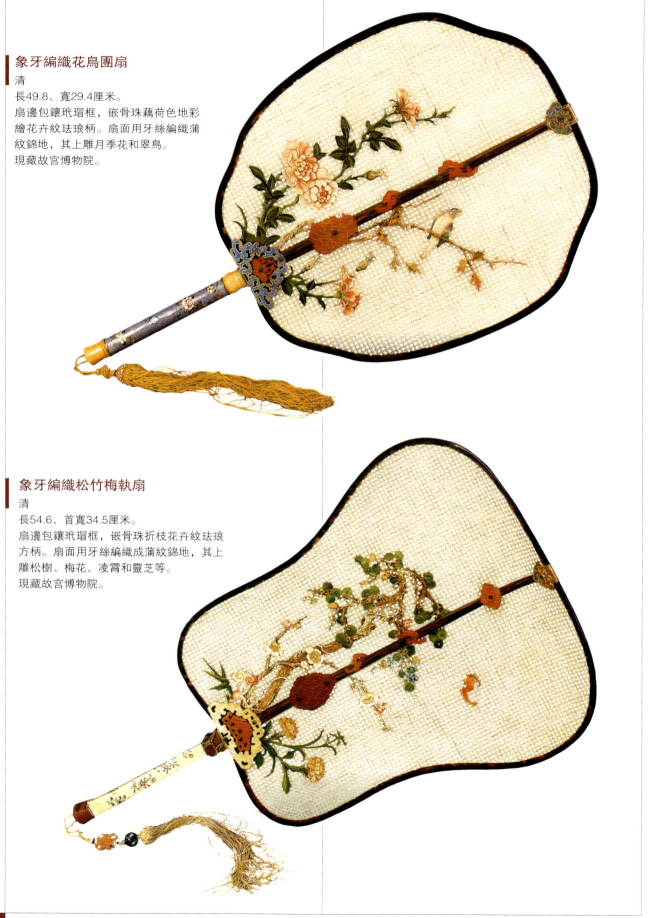

【 牙 雕 】

明清（公元一三六八年至公元一九一一年）

象牙絲編織團扇
清
長49.5、寬29.9厘米。
海棠花形，扇邊包玳瑁框，藕荷色畫珐琅扇柄，上繪花蝶紋圖案。扇面爲象牙絲編成透空錦地紋，染色雕蘭、菊、蜻蜓。
現藏故宮博物院。

象牙嵌寶石鐘表軸折扇
清
長28.2厘米。
扇面爲彩色西洋人物圖景，扇骨爲象牙製，以鏤孔菱格紋爲地，上雕人物花卉，兩端的兩根扇骨上刻蛇及蜥蜴紋，扇軸一端鑲嵌寶石鐘表。
現藏首都博物館。

[牙 雕]

象牙雕仙鶴形鼻烟壺
清
長4.7、腹寬2.9厘米。
仙鶴呈俯臥狀，頭頂嵌一鮮紅色雞血石，雙眼、喙上部及尾羽嵌玳瑁殼，身上羽毛刻畫入微，雙腿染成綠色。頸下有蓋，設有暗銷，蓋內篆刻"乾隆年製"款，下連象牙勺。
現藏故宫博物院。

象牙雕苦瓜形鼻烟壺
清
長7、腹寬3.8厘米。
通體染色，頸部爲淡綠色葉蒂紋，壺身爲黃赤色，并雕瘤狀突起，深綠色瓜蒂作蓋。
現藏故宫博物院。

象牙雕魚鷹形鼻烟壺
清
長4.8、腹寬2.9厘米。
魚鷹呈俯臥狀,雙眼、嘴尖上部嵌玳瑁,眼睛四周、頸部、雙腿及足染成棕色,并雕刻顆粒狀裝飾。頸下有蓋,設有暗銷,蓋內篆刻"乾隆年製"款,下連象牙勺。現藏故宮博物院。

象牙雕魚鷹形鼻烟壺壺頂

[牙 雕]

明清（公元一三六八年至公元一九一一年）

象牙雕司馬光砸缸鼻烟壺
清
高7、腹徑5.6厘米。
呈罐形，器身黃色，腹部以山石作背景，浮雕司馬光砸缸故事圖案。
現藏故宮博物院。

象牙透雕鼻烟壺
清
高9、口徑2厘米。
小口，平沿，内凹底，頸部與足部飾回紋，壺體兩面采用透雕手法刻畫樓閣人物，側面爲樹木和山石圖案。
現藏江蘇省揚州博物館。

象牙雕寒夜尋梅圖

清

高39.1、寬32.9、厚3.2厘米。

此爲牙雕《月曼清游》册十二幀中的第一幀。畫面分成上下兩部分，有兩組仕女深夜前行賞花，仕女們髮髻高聳，眉清目秀，身材修長，姿態文雅。

現藏故宮博物院。

[牙雕]

象牙雕踏雪尋梅圖
清
高39.1、寬32.9、厚3.2厘米。
此爲牙雕《月曼清游》册十二幀中的第十二幀。畫面中庭內四仕女正在觀雪景，院中三仕女正款款而來。畫面右下垣牆上刻陳祖章等作者款識。
現藏故宮博物院。

象牙雕三羊開泰圖插屏
清
通高60.1厘米，屏身高46.6、寬33.8厘米。

畫面爲三童嬉戲場面，以松、竹、梅、水仙、山石等爲背景，三隻羊寓意"三羊開泰"。
現藏故宫博物院。

明清（公元一三六八年至公元一九一一年）

[牙 雕]

明清（公元一三六八年至公元一九一一年）

象牙雕人物仕女小插屏
清
高20.1、寬10.1厘米。
共四幀，選其中二幀。
內容以《西廂記》爲題材，以鏤刻浮雕染色技法製成。
每幀背面均刻七言詩句及"昆華"款。
現藏故宮博物院。

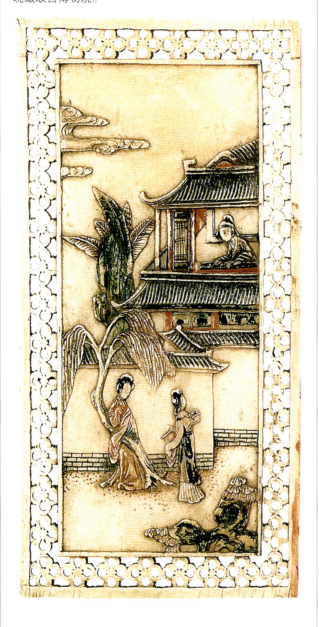

【牙雕】

象牙雕山水小插屏
清
高12.8、寬8.5厘米。

畫面遠景爲巍峨的群山，中景爲高大的宮殿樓宇，近景爲小橋流水。畫面右上方有刻文及作者刻款。現藏江蘇省蘇州博物館。

明清（公元一三六八年至公元一九一一年）

【牙雕】

象牙雕菩薩頭像

清

高30厘米。

菩薩頭戴寶冠，冠上通體鏤雕捲雲紋，并且每一面各雕三尊小菩薩，小菩薩身披飄帶，手執法器，有火焰形頭光，腳踏蓮臺。

現藏廣東省博物館。

【牙雕】

象牙雕蓮花菩薩立像
清
高23厘米。
菩薩頭戴花冠，身披帛巾，上身袒露，一手持蓮，一手施印，赤足立于蓮花寶座之上，背後大舟形背光上有捲草紋裝飾。
現藏故宮博物院。

象牙雕空行母像
清
高20.5厘米。
空行母爲藏傳佛教中女性護法神，此尊造像頭戴骷髏冠，項佩髏骼項鏈，一手托髏骼碗，一手執鉞刀，呈忿怒相。足下有圓柱形榫，原應當另有底座。
現藏故宮博物院。

明清（公元一三六八年至公元一九一一年）

【牙 雕】

象牙雕說法人物像

清

高27厘米。

人物端坐于石桌前，一手執鼓，一手拿棰，石桌上平放一卷經書。石桌下雕三隻小獸。

現藏安徽省博物館。

【 牙 雕 】

象牙雕魁星踢斗像
清
高16.3、底座徑5厘米。
魁星作鬼形，右手持筆，左手握斗，一足後踢，一足立于鰲上。
現藏故宮博物院。

象牙雕壽星像
清
高16厘米。
此壽星拄杖而立，笑容可掬。
現藏南京博物院。

明清（公元一三六八年至公元一九一一年）

【 牙 雕 】

象牙雕老者像
清
高15.5、寬5厘米。
老人頭挽髮髻，身着束腰廣袖長衫，倒背雙手，作仰天長吟狀。現藏故宮博物院。

【 牙 雕 】

象牙雕持扇仕女像
清
高20.8、寬4.8厘米。
仕女身着清裝，髮髻高挽，眉目清秀，一手執扇，一手握筆，作思考狀。
現藏故宮博物院。

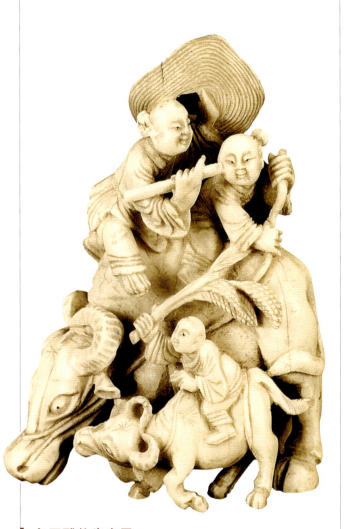

象牙雕牧牛童子
清
高8、寬5.3、厚3厘米。
大小兩隻牛，大牛背上倒騎二童，一童手挽韁，另一童左手舉帽，右手持笛。小牛緊隨大牛身側，一小童手舉穀穗騎于小牛背上。
現藏故宮博物院。

[牙 雕]

明清（公元一三六八年至公元一九一一年）

象牙雕萬壽菊
清
長69.9、根徑8.3厘米。
利用整根象牙，通體雕刻萬壽菊花，根部刻有陽文楷書"粵東同盛號製"六字款。
現藏故宮博物院。

【牙雕】

明清（公元一三六八年至公元一九一一年）

189

【牙 雕】

象牙雕佛傳故事
清
長147.5厘米。
整支象牙用聯珠紋間隔爲九層，共雕出二十五座佛龕，八十八個人物，每座佛龕裏都有不同的佛傳故事。現藏西藏自治區拉薩市羅布林卡。

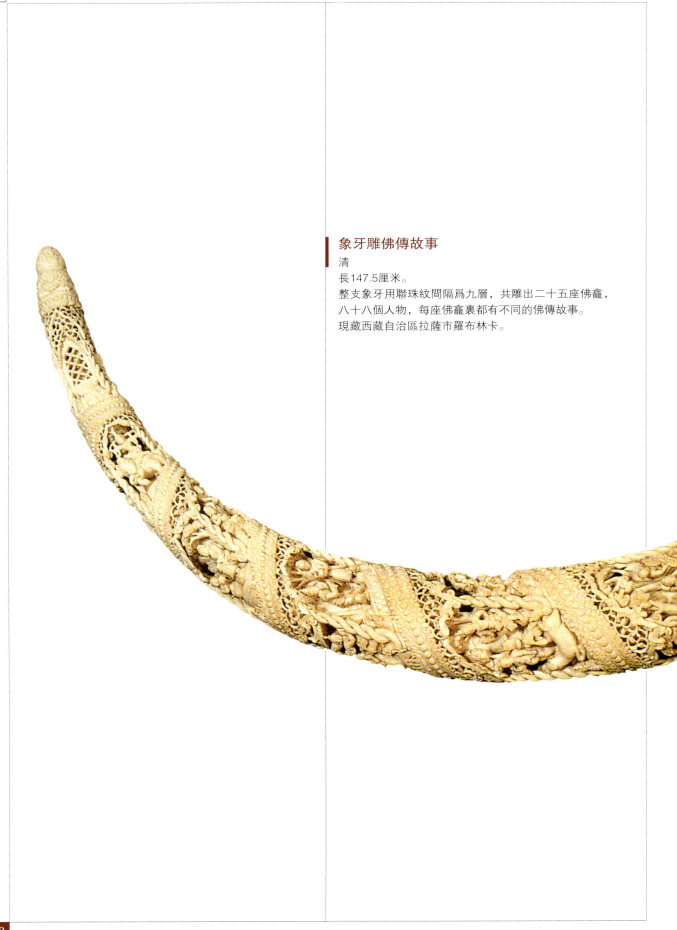

【 牙雕 】

象牙雕頂柱花套球
清
高19、底徑5厘米。
圓座上立圓雕漢鍾離像,頭頂竹節狀象牙柱,上托五層透雕花球,最外層花團錦簇,內套四層小球,每層均可自由轉動。
現藏南京博物院。

明清（公元一三六八年至公元一九一一年）

[牙 雕]

明清（公元一三六八年至公元一九一一年）

象牙雕樓閣人物套球
清
高15.5、球徑5.2厘米。
球分七層，層層鏤雕，每層開十四個圓孔，均可轉動。最外層雕樓閣人物花卉圖案，內層均爲星形及小圓點鏤空紋飾。
現藏故宮博物院。

【 牙 雕 】

象牙雕套盒
清
高21厘米。
分上中下三部分。上部爲鏤空六孔圓球，內有一方體，空心六孔，中納色子。中、下二部分爲一高一扁二圓盒。
現藏故宮博物院。

象牙雕花籃
清
通提梁高17、口徑6.2、足徑3.9厘米。
花籃染成黃色，通體鏤空，口爲勾連環紋，頸、肩爲回紋，腹爲勾雲紋，底爲條紋。上連結繩團壽勾連雲頭式活動提梁，內盛象牙鏤雕古錢紋花囊一個。
現藏故宮博物院。

明清（公元一三六八年至公元一九一一年）

[牙 雕]

明清（公元一三六八年至公元一九一一年）

象牙雕海市蜃樓擺件
清
高39.5厘米。
長方形底座上呈現出山石聳立、花團錦簇的景象，一團祥雲承托一寶相花形象牙盤，內雕山水樓閣，花草人物，儼然一派仙境景色。
現藏故宮博物院。

【牙雕】

明清（公元一三六八年至公元一九一一年）

象牙雕海市蜃樓擺件背面

[牙 雕]

象牙雕草蟲白菜擺件
清

長14.2、寬6.5、厚2.6厘米。呈剖空的半棵白菜狀，菜經染色。腹內立雕相背的蟬及蚱蜢各一隻。蟬通體土黃色，蚱蜢爲黃綠相間。牙雕下配硬木座，兩面均鑲嵌螺鈿，作對弈場景。
現藏故宮博物院。

象牙雕草蟲白菜擺件背面

【 牙 雕 】

明清（公元一三六八年至公元一九一一年）

象牙雕草蟲白菜擺件
清
長26.5厘米。
一牽牛花繞莖伴菜而生，蟈蟈、螳螂、螞蚱、瓢蟲、虻蠅、天牛、金龜子、蝸牛等蟲搶食白菜。
現藏故宮博物院。

象牙雕脫殼雞雛擺件
清
高4.8厘米。
作者運用圓雕手法，表現小雞破殼而出的瞬間。
現藏故宮博物院。

【 牙 雕 】

象牙雕鷹擺件
清
高14厘米。
一隻巨鷹栖息于山石之上，下面有一獅與之相對。
現藏南京博物院。

象牙雕佛手擺件
清
高14、寬6厘米。
以莖葉做底座，上托一巨型佛手，莖葉中亦藏一小佛手，其表面滿布凹點。
現藏廣東省博物館。

角　雕

【 角 雕 】

唐至清（公元六一八年至公元一九一一年）

角櫛
唐
陝西西安市長安區風雷儀表廠唐墓出土。
高1.85–2.4、寬3.1–4厘米。
用動物角製成，櫛背呈半月形，正反兩面各浮雕一簇纏枝牡丹，底部飾綫刻小方格紋。
現藏陝西省考古研究院。

犀角雕蟠螭紋杯
五代十國·前蜀
四川成都市前蜀王建墓出土。
高9.4、最大口徑14.5厘米。
橢圓花瓣形，以兩螭爲耳，與耳相對的另一側，有一排縱向排列的凸棱，杯耳裝飾分上、中、下三部分，以淺浮雕爲地，分飾花卉、鳥獸、蟠螭等紋飾。外底篆書"息"字，可能是工匠的名字。
現藏四川博物院。

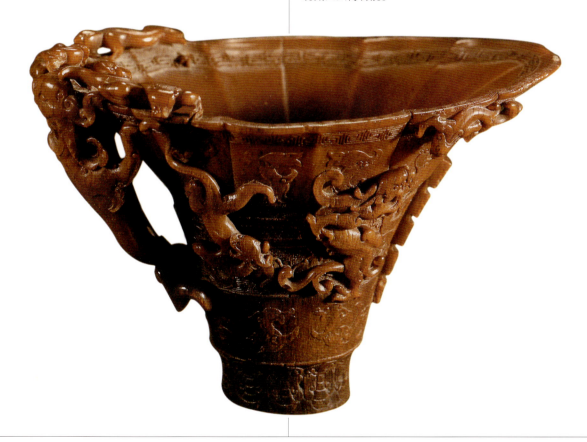

[角 雕]

唐至清（公元六一八年至公元一九一一年）

犀角雕臥鹿形杯
元
高7.2、長9.3厘米。
杯倒置呈一圓雕臥鹿形狀，鹿頭爲杯底，頂部平坦，以保持杯的穩定。胸前陰刻兩排縱列的細毛，圓圈狀紋飾布滿鹿身，腿向後彎曲，呈俯臥狀。
現藏故宮博物院。

犀角雕花卉洗
明
高8、口徑18.7-14.9、底徑8.9-9.1厘米。
洗口爲花瓣式，竹枝式圈足，并雕一靈芝。杯身雕桃花、桃實、玉蘭和竹葉等。
現藏故宮博物院。

[角 雕]

犀角雕荷葉螳螂杯
明
高9.5、口徑14.9厘米。
杯呈荷葉形。荷梗與嫩葉糾結彎曲向上組成杯鋬，荷葉背面雕兩朵荷花。杯中小荷葉梗上雕一螳螂。
現藏上海博物館。

犀角雕荷葉螳螂杯內底

唐至清（公元六一八年至公元一九一一年）

203

[角 雕]

犀角雕六龍紋杯
明
高9.2、口徑16.2厘米。
杯通體雕雲紋，雲中六龍蟠繞，二龍飛騰于杯口與一龍戲火焰狀寶珠，另三龍嬉戲于杯壁上。
現藏上海博物館。

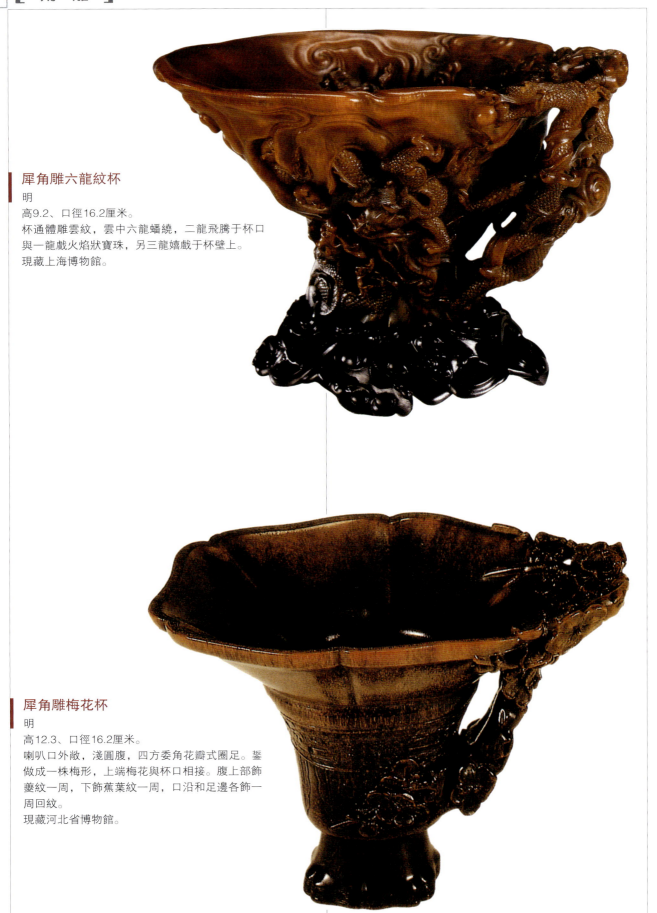

犀角雕梅花杯
明
高12.3、口徑16.2厘米。
喇叭口外敞，淺圓腹，四方委角花瓣式圈足。鋬做成一株梅形，上端梅花與杯口相接。腹上部飾夔紋一周，下飾蕉葉紋一周，口沿和足邊各飾一周回紋。
現藏河北省博物館。

【 角 雕 】

唐至清（公元六一八年至公元一九一一年）

犀角雕蓮蓬紋荷葉形杯
明
高8.5、口徑17.2-10.2厘米。
侈口成盆狀，三根葉莖交叉盤結于杯底，成爲杯足。杯壁雕一束小海棠花。
現藏故宫博物院。

犀角雕芙蓉秋蟲杯
明
高9.2、口徑16-8.8、足徑4.4-3厘米。
杯身雕爲芙蓉葉形，柄與足雕爲枝莖和花蕾，外壁雕野菊，一隻蟈蟈伏于葉上。
現藏故宫博物院。

205

[角 雕]

犀角雕螭紋菊瓣式杯
明
高8、口徑14.3-10.3、足徑3.6-3.5厘米。
通體雕爲菊花初開式。杯口呈花瓣，外壁雕纏枝寶相花紋，有三螭攀爬于杯壁，一螭雕爲杯柄。
現藏故宮博物院。

犀角雕玉蘭花式杯
明
高7.8、口徑13.5厘米。
杯身似一朵盛開的玉蘭。五個花瓣口沿參差叠壓，層次分明，枝葉構成支托，腹壁纏繞花葉和萼蕾。
現藏故宮博物院。

[角 雕]

唐至清（公元六一八年至公元一九一一年）

犀角雕桃式杯
明
高8.8厘米，口徑長14.3、寬9.2厘米。
杯外壁鏤雕桃枝及果、葉作柄，下部延伸至杯底成爲底座，上部延伸至口沿内。
現藏故宫博物院。

犀角雕雲龍杯
明
高21.3、口徑19.5、底徑7.3厘米。
杯外壁高浮雕雲龍紋，柄部松樹延伸至口沿内部。
現藏故宫博物院。

207

[角 雕]

唐至清（公元六一八年至公元一九一一年）

犀角雕山水人物杯
明
高21.7、口徑17.8厘米。
杯外壁高浮雕山水人物圖案，口沿内部亦有浮雕紋飾，款署"尤侃"和"直生"。尤侃為明末著名雕刻家，籍貫不詳。
現藏故宫博物院。

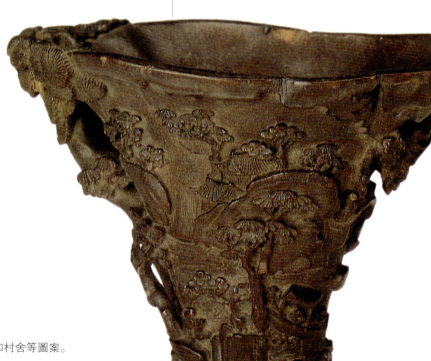

犀角雕山水人物杯
明
高13、口徑10厘米。
杯通體淺浮雕山石、樹木和村舍等圖案。
現藏天津博物館。

[角 雕]

唐至清（公元六一八年至公元一九一一年）

犀角雕蝠柄杯
明
高8.4、口徑18.4厘米。
敞口，圈足，流部爲鴨嘴形，杯身刻捲雲紋及蕉葉紋，上部浮雕一周螭虎，鋬部雕人面蝙蝠紋。
現藏天津博物館。

[角 雕]

唐至清（公元六一八年至公元一九一一年）

犀角雕雲龍杯
明
高21.3厘米。
杯呈爵形，寬流。外壁雕雲龍九條，一龍臥于杯底，三龍纏繞于杯口與柄之間，另五條在杯壁上盤旋飛舞。現藏故宮博物院。

犀角雕龍柄螭龍紋杯

明

高11.5厘米，口徑長13.5、寬8.5厘米，足徑5厘米。
杯口沿處飾一周變形夔紋，腹中部浮雕雙龍戲珠，底部
以浪花紋相襯，杯柄爲一大龍，龍身繞杯一周，杯口沿
上浮雕三條小蛟龍。
現藏故宮博物院。

[角 雕]

犀角雕蜀葵天然形杯
明
高39.7、口徑14.6–11.8厘米。
杯隨犀角形鏤雕折枝蜀葵式,杯口花瓣作螺式,枝葉盤繞杯底。枝幹染色,至花葉處趨淡。
現藏故宮博物院。

透雕花卉蟠龍紋犀角杯
明
高22.9、口徑16.2厘米。
杯口呈葵花式。杯體雕葵花和海棠花。一龍穿插於花卉中。
現藏上海博物館。

[角 雕]

犀角杯
明
高9.5厘米。
以鹿頭爲杯足，造型別致。
現藏廣東省廣州市文物總店。

透雕浮槎犀角杯
明
高9.7、長25.5厘米。
杯雕成枯枝形浮槎，槎上雕梅樹石榴，一長髯老者背樹端坐，展卷朗讀。船底爲水浪紋。枝枒處有"天成"款。
現藏上海博物館。

唐至清（公元六一八年至公元一九一一年）

213

[角 雕]

唐至清（公元六一八年至公元一九一一年）

犀角雕仙人乘槎
明
高11.1、長21.1、寬6.6厘米。
犀角雕成枯樹形舟，一長髯仙人，頭戴素巾，身着長衫，手持經卷，坐于舟尾。
現藏故宮博物院。

[角 雕]

犀角雕仙人乘槎
明
高11.7、長27厘米。
槎口彎曲如同花瓣，與槎尾有吸孔相通，槎中花木扶疏，一老者端坐其間，手持如意，作仰面微笑狀。槎首前刻"再來畢甲子"和"尤通"款。尤通字麗源，無錫人，明末清初著名雕刻家，尤其擅刻犀角杯，人稱"尤犀杯"。
現藏故宮博物院。

唐至清（公元六一八年至公元一九一一年）

[角 雕]

唐至清（公元六一八年至公元一九一一年）

犀角雕花三足觥

明

高16.9、口徑14、足徑11.4厘米。

通體雕成一盛開的鮮花，三足如三束折枝花果，托抱觥體。鏤雕荷花、海棠、蜀葵和荔枝等。

現藏故宮博物院。

犀角雕四足鼎

明

高21厘米。

鼎腹部及雙耳浮雕蟠螭紋，四足外撇，飾流雲紋。

現藏故宮博物院。

【 角 雕 】

犀角雕雙螭耳仿古執壺
明
高13厘米，口徑長15、寬7.8厘米。
蓋呈盔帽式，刻蕉葉及夔龍紋，壺身淺浮雕蟠螭紋和獸面紋，柄部上下盤繞三條螭龍，另有一螭龍附于流上。壺正面腹部竪刻"鮑天成"款。鮑天成爲蘇州人，擅刻犀角、象牙。
現藏故宫博物院。

唐至清（公元六一八年至公元一九一一年）

【角 雕】

犀角雕水獸紋杯
清
高9.5、口徑16.2-10.8、足徑5-4.7厘米。
杯體外側滿刻水中异獸，有龜、螭、龍、夔和蟾等。一龍雙臂緊攀杯口，龍身爲柄。
現藏故宮博物院。

犀角雕荷葉形杯
清
高3.8厘米，口徑長11、寬7.4厘米。
造型猶如一片荷葉，杯身內外刻畫葉脉，下以水浪爲底，外壁浮雕螺螄、海螄、小蟲等，并凸刻陽文"恩縱黃甲醉，寵荷紫羅深"。
現藏故宮博物院。

唐至清（公元六一八年至公元一九一一年）

【 角 雕 】

犀角雕花鳥杯

清

高9、口徑15.6-10.4、足徑5.1-4.1厘米。
杯身雕爲芙蓉形，枝幹爲柄，花和莖葉盤結爲底足。一帶蕾花枝伸入杯內，兩隻小燕相隨。
現藏故宮博物院。

犀角雕花鳥杯內底

唐至清（公元六一八年至公元一九一一年）

[角 雕]

唐至清（公元六一八年至公元一九一一年）

犀角雕柳蔭牧馬圖杯
清
高9.7、口徑14.6-9.5、足徑4.8-3.6厘米。
杯外壁雕二人于溪岸上，一立一坐，立者手執柳條，坐者手挽衣袖，目視一健馬蹓躂于草叢中。
現藏故宮博物院。

犀角雕竹芝紋杯
清
高8、長16、最寬處9.2厘米。
杯呈橢圓形，敞口，凹底。內壁飾如意紋，外壁以竹節和靈芝作裝飾，兩隻松鼠游戲其間。
現藏故宮博物院。

[角雕]

犀角雕獸紋柄仿古螭紋杯
清

高9.7、口徑17.5-10、足徑4.2-3.1厘米。
杯壁刻獸面錦地，錦地上飾九條攀爬的螭虎。杯口沿及底足刻一圈回紋。
現藏故宮博物院。

犀角雕獸紋柄仿古螭紋杯柄另一側面

唐至清（公元六一八年至公元一九一一年）

[角 雕]

犀角雕蓮蓬荷葉杯
清
高16厘米，口徑長16.8、寬10.6厘米。
杯呈荷葉狀，流口內彎上翹，杯身內外刻葉脉紋，外壁浮雕蓮蓬蒲草，花枝平展成底座，與流相連。杯內底有一小洞與吸口相通。
現藏故宮博物院。

犀角雕梧桐葉紋杯
清
高8.5、寬15.7厘米。
杯外壁浮雕梧桐樹葉紋，延伸至底部構成杯座，一側以圓雕樹幹構成鋬手。
現藏廣東省博物館。

[角 雕]

犀角雕山水人物杯
清
高13.9、口徑15.8–10.2、足徑4.8–4.3厘米。
杯身雕山景，奇松、古柏、楓、桐滿植其間，十六個人物或坐臥飲酒，或聚會聊談，或站立迎送。雕雙樹爲杯柄。
現藏故宮博物院。

唐至清（公元六一八年至公元一九一一年）

[角 雕]

犀角雕山水人物杯
清
高14、口徑17.2厘米。
杯體高浮雕山水人物。一面為樹下隱士拄杖而立，二童子跟隨。另一面為水上泛舟圖，岸邊有村舍茅屋掩映于山樹之間。柄部造型為一古柏，枝葉延伸進杯內。
現藏南京博物院。

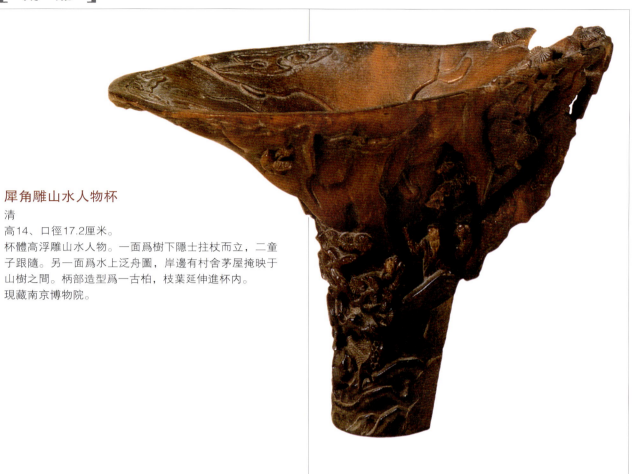

犀角雕松蔭高士杯
清
高12.8厘米。
杯外壁高浮雕松蔭高士圖，人物刻畫栩栩如生。柄處松樹近圓雕作法，枝葉一直延伸至口內。
現藏故宮博物院。

[角 雕]

犀角雕螭杯
清
高9.7厘米。
造型仿觚，頸部及足部飾蕉葉紋，腹部爲回紋，幾隻螭虎伏于杯身，柄處飾糾纏錯結的藤葉紋。
現藏故宮博物院。

唐至清（公元六一八年至公元一九一一年）

[角雕]

唐至清（公元六一八年至公元一九一一年）

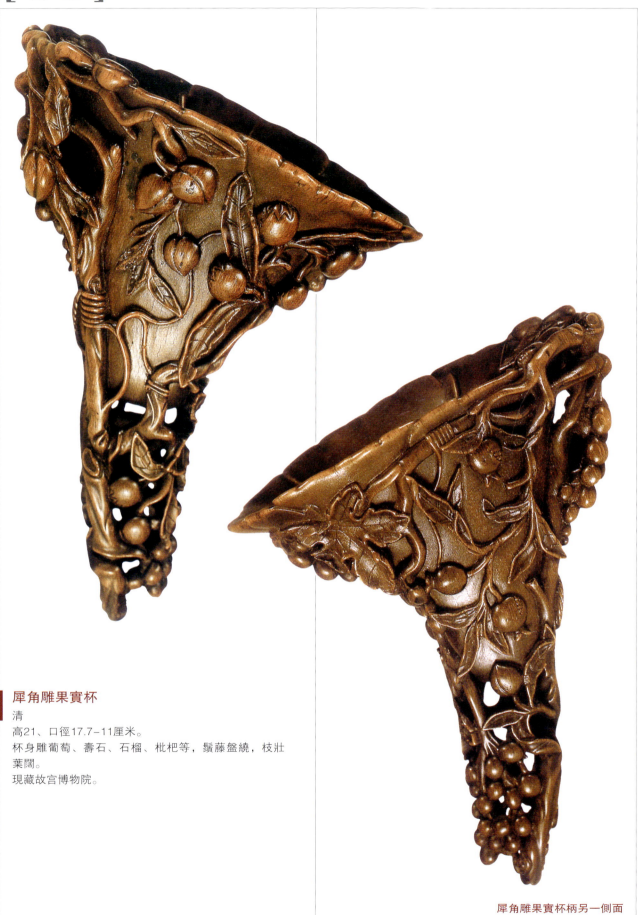

犀角雕果實杯
清
高21、口徑17.7－11厘米。
杯身雕葡萄、壽石、石榴、枇杷等，鬚藤盤繞，枝壯葉闊。
現藏故宮博物院。

犀角雕果實杯柄另一側面

[角雕]

犀角雕螭柄獸面紋杯
清
高13.2厘米。
雙聯方杯，中部為螭柄。兩杯口沿處飾一周回紋，通體雕獸面紋，螭柄兩側浮雕對稱雙鳥。
現藏故宮博物院。

唐至清（公元六一八年至公元一九一一年）

【 角 雕 】

犀角雕玉蘭花杯
清
高5.2、口徑7.7厘米。
敞口,直壁,杯身浮雕玉蘭花葉。
現藏南京博物院。

犀角雕爵
清
高16.1、口徑14.4厘米。
造型仿青銅爵,通體雕饕餮紋,鋬手處飾流雲紋。
現藏故宮博物院。

【 角 雕 】

唐至清（公元六一八年至公元一九一一年）

犀角雕仿古匜
清
高9.6、長17、寬8厘米。
造型仿青銅匜。匜身光素面，口沿刻一圈回紋，流下嵌夔耳活環，柄外嵌圈把。
現藏故宮博物院。

犀角雕花籃
清
高16.5、足徑5厘米。
花籃鏤雕提梁，外壁滿雕竹篾編織狀紋飾。花籃內雕玉蘭、菊和桃實等花果。
現藏故宮博物院。

229

[角雕]

唐至清（公元六一八年至公元一九一一年）

牛角雕羅漢坐像
清
高14.4厘米。
羅漢面容清癯，身披袈裟，一手執珠，呈蹲坐相，衣紋流暢自然，神態安詳凝重。
現藏江蘇省蘇州博物館。

[角雕]

犀角雕桃花座觀音像
清
高12.2、底徑11.5厘米。
觀音頭梳平頂髻，神態安詳，身著廣袖長衫，左手持數珠，右手捧如意，結跏趺坐于桃花形寶座上。
現藏故宮博物院。

唐至清（公元六一八年至公元一九一一年）

231

[角 雕]

犀角雕布袋和尚像
清
高7.9厘米。
布袋和尚身披袈裟，大腹便便，左手撐地，右手持桃，仰首倚袋而坐，身前背後有四個小童各司繫帶、拽繩、掏耳、撓癢之職。
現藏故宮博物院。

珐琅器

[珐琅器]

元明（公元一二七一年至公元一六四四年）

掐絲珐琅三環尊
元
高70.6、口徑36.2、底徑23.1厘米。此器腹部原爲一罐，爲元末製品，清初配以頸、足、三獸銜環，并附加刻款。鍍金，以淺藍釉爲地，掐絲填彩釉爲紋。頸部飾夔鳳紋雙耳，肩部突起三獸首銜環，下承銅鍍金三飛獸足，通體飾折枝花草及雲紋，圈足中心鏨鍍金雙龍。
現藏故宮博物院。

235

元明（公元一二七一年至公元一六四四年）

掐絲琺瑯纏枝蓮鍍金龍耳瓶
元

高36.7、口徑10.7、足徑12.6厘米。鍍金。通體以淺藍釉為地，掐絲琺瑯勾蓮花卉為紋。頸部一周蓮瓣紋，兩側附銅鍍金雙龍耳。頸、上腹和下腹三部分由幾件元代舊器的局部拼接而成，頸部雙龍耳為後加。足內有"景泰年製"楷書後加款。
現藏故宮博物院。

[珐琅器]

掐絲珐琅鼎式爐

元

高28.4、口徑17.1厘米。

鍍金，仿青銅鼎。腹上部飾鍍金弦紋一周，紋上以墨緑爲地飾折枝菊花、白花十二朵，紋下以淺藍爲地飾番蓮六朵。三足飾纏枝梅、菊等紋飾。足與器身有拼接痕迹。現藏故宫博物院。

元明（公元一二七一年至公元一六四四年）

237

[珐琅器]

元明（公元一二七一年至公元一六四四年）

掐絲珐琅象耳爐
元
高13.9、口徑16、足徑13.5厘米。
鍍金。以淺藍、深藍色釉爲地，掐絲填彩釉爲紋，附兩銅鍍金象首耳，頸部飾各色菊花十二朵，腹部飾三色番蓮六朵，近足處飾一周蓮瓣紋。雙象首耳和圈足爲後配。現藏故宫博物院。

掐絲珐琅魚耳爐
明
高9.5、口徑15.3、足徑11.3厘米。
鍍金。以淺藍釉爲地，掐絲填彩釉爲紋，兩側附獸首吞魚耳，爐腹部有折棱，通體飾纏枝花草紋，圈足內有"景泰年製"款。器爲明早期作品，款識爲後刻。現藏故宫博物院。

238

[珐琅器]

元明（公元一二七一年至公元一六四四年）

掐絲珐琅梅瓶
明
高21、口徑4、足徑5.5厘米。鍍金。以淺藍釉爲地，掐絲填彩釉爲紋，頸飾彩色菊花，肩爲綠葉紫葡萄，繞肩一周鍍金弦紋，腹飾纏枝三色番蓮，近足處爲一周蕉葉紋，足内刻"景泰年製"楷書款。器爲明早期作品，款識爲後刻。現藏故宫博物院。

239

[珐琅器]

元明（公元一二七一年至公元一六四四年）

掐絲珐琅玉壺春瓶
明
高27.1、口徑7.4、足徑9厘米。
鍍金。以淺藍釉爲地，掐絲填彩釉爲紋，頸部附兩獸形鋪首銜環，中有金弦紋兩道，其間飾紫地五彩靈芝一周，近足處一周紅色蓮瓣紋，圈足內有"景泰年製"款。頸部獸耳和口、足均爲後配，款識亦爲後刻。
現藏故宮博物院。

掐絲珐琅長頸瓶
明
高27.5厘米。
鍍金。以淺藍釉爲地，頸部飾蕉葉紋，瓶身飾纏枝蓮紋。瓶底有"大明景泰年製"款。器爲明早期作品，款識爲後刻。
現藏英國倫敦大英博物館。

[珐琅器]

元明（公元一二七一年至公元一六四四年）

掐絲珐琅雲龍紋蓋罐
明
高64、口徑32.5厘米。
以藍色釉爲地，罐蓋和罐身各飾一條五爪金龍，周圍飾祥雲。罐底有"大明宣德年製"和"御用監造"款。現藏英國倫敦大英博物館。

[珐琅器]

元明（公元一二七一年至公元一六四四年）

掐丝珐琅缠枝莲纹碗
明
高13.9、口径29.7厘米。
碗敞口，弧壁，圈足外撇。碗外壁用白、绿两色釉互补填出繁密的枝叶，烘托出红、黄、紫、红、紫、红六朵盛开的缠枝莲。碗内施蓝色珐琅釉为地，上饰两条深蓝色龙戏火焰宝珠。底饰菊花纹，方框内有掐丝填朱红釉"宣德年制"四字篆书款。
现藏故宫博物院。

掐丝珐琅杯托
明
高1.3、口径19.2厘米。
镀金。以浅蓝釉为地，掐丝填彩釉为纹。盘心为一环状杯槽，中饰红莲一朵，杯槽上为莲瓣装饰。盘面通饰花卉纹，口沿处为蟠螭纹。盘外壁和底部光素，底中心刻双钩直行"大明宣德年制"楷书款。
现藏故宫博物院。

242

[珐琅器]

掐絲珐琅纏枝蓮紋直頸瓶
明
高22、口徑2.9厘米。
瓶小口，細長頸，垂腹，圈足。通體施天藍色珐琅釉爲地，頸部飾各色纏枝花紋，腹部飾鮮艷的大朵纏枝蓮紋，口沿下飾紅、黃色蕉葉紋，足墙飾垂蓮紋。底鍍金，陰刻雙綫"宣德年製"四字楷書款。
現藏故宫博物院。

掐絲珐琅花果紋出戟觚
明
高28.8、口徑15厘米。
觚仿青銅器的造型，鍍金，腹部、足部均四出戟。通體施藍色珐琅釉爲地，頸部有四個蕉葉形開光，內飾荷花、茶花等，開光外飾葡萄紋；腹部飾折枝菊花、石榴、柿子、梔子花；足部四面飾勾蓮花紋。
現藏故宫博物院。

元明（公元一二七一年至公元一六四四年）

243

【 珐琅器 】

元明（公元一二七一年至公元一六四四年）

掐丝珐琅鱼藻纹高足碗
明
高10.4、口径14.9厘米。
碗内为白地，饰鱼藻纹，碗外为蓝地，饰番莲纹。
现藏中国国家博物馆。

掐丝珐琅双陆棋盘
明
高15.7厘米，口宽33、长53.3厘米，座足宽34.5厘米。
镀金。盘内底以"卍"字纹为地，饰七狮戏球纹，沿壁一周有十二个小圆开光，内嵌螺钿，是为棋位。盘外壁饰十个开光。托及足饰缠枝花草，足端向上翻卷。
现藏故宫博物院。

掐絲琺瑯花蝶紋香筒

明

通高21.4、口徑16厘米。

尊式，三羊足，筒上有蓋。蓋面鏤七個圓孔，中心凸飾太極圖，四周陰刻雲紋、蝙蝠紋。筒外壁施深藍色琺瑯釉爲地，用紅、藍、白、墨、綠、薑黃等色釉繪製出一幅通景花蝶圖，底有纏枝勾蓮花六朵，鏨剔地陽文"景泰年製"四字楷書款。

現藏故宮博物院。

[珐琅器]

元明（公元一二七一年至公元一六四四年）

掐絲珐琅海馬紋大碗
明
高10、口徑23厘米。
鍍金。內底開圓光，內飾折枝牡丹一枝，外圍一周蓮瓣，內壁下部飾深藍色海水江牙及各色海馬圖案。足底鍍金，中心刻"景泰年製"楷書款。
現藏故宮博物院。

掐絲珐琅龍鳳紋盤
明
高5.1、口徑24.2厘米。
盤鍍金，撇口、圈足。盤內外均施藍色珐琅釉爲地，盤心飾黃色騰龍及朵雲，盤內壁飾鳳、凰及仙鶴展翅飛翔。底鏨陰文填金"大明嘉靖年製"六字款。
現藏故宮博物院。

246

[珐琅器]

掐丝珐琅狮纹尊
明
高28.7、口径21.4、足径15.6厘米。
鍍金。尊肩部凸起三獸首銜環，底有三飛獅足。通身淺藍釉作地，腹部飾四獅戲球，間飾雜寶紋。足內有"景泰年製"楷書後加款。
現藏故宮博物院。

元明（公元一二七一年至公元一六四四年）

[珐琅器]

掐絲珐琅龍紋長方爐
明
高23.6、口寬13.9厘米。
鍍金。頂部立一火焰珠狀鈕，蓋上鏤空雙龍輪廓，掐絲填淺藍、紅釉作雙龍戲珠紋。腹部四棱出戟，正面飾雙龍戲珠，側面飾雙魚花卉，外底掐絲做雲頭裝飾。內有"大明景泰年製"款，此款識爲假款，原有萬曆款。現藏故宫博物院。

[珐琅器]

元明（公元一二七一年至公元一六四四年）

掐絲珐琅蠟臺
明
高9.6、口徑18、底徑13.3厘米。
鍍金。三垂雲足，盤中心樹一鍍金寶瓶，上插蠟扦，四周飾以深藍、淺藍爲地的折枝花卉。外壁和底光素無紋，底中部刻"大明萬曆年製"楷書款。
現藏故宫博物院。

掐絲珐琅雙龍紋盤
明
高7.6、口徑44.7、底徑31.2厘米。
鍍金。以淺藍釉爲地，掐絲填彩釉爲紋。盤心飾雙龍，盤沿爲雜寶。底有一周彩色花卉，中心爲"大明萬曆年造"雙行楷書款。
現藏遼寧省文物總店。

249

【 珐琅器 】

元明（公元一二七一年至公元一六四四年）

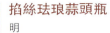

掐絲珐琅蒜頭瓶
明
高33.5、口徑3.8、足徑11.3厘米。
鍍金。以淺藍釉爲地，通體飾彩色纏枝蓮紋，頸部盤繞一鍍金銅蟠龍。圈足內鍍金，光素無紋。
現藏故宮博物院。

[珐 琅 器]

掐絲珐琅出戟尊
明
高78厘米。
鍍金。以淺藍釉爲地,通體飾各色掐絲雲紋及纏枝花草。方口,直頸,倒梨形腹,方形圈足,尊身四面出八戟脊,呈鏤空夔紋形狀。
現藏中國國家博物館。

元明(公元一二七一年至公元一六四四年)

[珐琅器]

元明（公元一二七一年至公元一六四四年）

掐絲珐琅福壽康寧圓盒
明
高10、口徑16、足徑11.4厘米。
鎏金。盒蓋開一圓光，圓光內以白釉爲地，飾彩色靈芝及雜寶圖案，中心掐絲"福、壽、康、寧"四字，內填紅釉，做十字交叉狀排列。器身以淺藍釉爲地飾折枝花卉，底部裝飾小雲頭圖案。
現藏故宮博物院。

鏨胎珐琅纏枝蓮紋圓盒
明
高5.5、直徑11.3厘米。
盒直壁，平蓋面。通體施藍色珐琅釉爲地，蓋面鏨花填飾深藍色纏枝蓮一朵，盒外壁飾彩色纏枝蓮紋。底飾蓮瓣團花，內用銅絲嵌出"宣德年製"四字楷書款。此器是目前所見唯一的早期鏨胎珐琅製品。
現藏故宮博物院。

252

珐琅器

掐絲珐琅三足熏爐
清
高28.5、口徑25.8、底徑16.4厘米。
銅胎鍍金。以淺藍釉爲地,上飾彩色折枝花卉。鏤空蟠螭兩節式蓋,爐身爲多曲式口沿,兩側附雙螭耳。底中心有陽文楷書"景泰年製"仿款。
現藏故宮博物院。

清（公元一六四四年至公元一九一一年）

[珐琅器]

清（公元一六四四年至公元一九一一年）

掐絲珐琅香熏
清
直徑16.2厘米。
鍍金，由兩個半球組成。以淺藍釉爲地，飾勾蓮紋及番蓮紋，每半球的球心處及口部四周雕刻鏤空花紋，球內裝大小不同的銅圈三個，運用陀螺儀的原理使爐心保持平衡，以防止香料溢出。
現藏故宮博物院。

掐絲琺瑯纏枝蓮紋膽瓶

清

高12、口徑1.7厘米。

瓶爲膽式，直頸，垂腹。通體以淺藍色琺瑯釉爲地，腹部飾掐絲琺瑯彩釉纏枝蓮紋，枝葉以單綫勾勒，掐絲極細；足墻飾蓮瓣紋。底鍍金，鏨陰文"康熙年製"四字楷書款。

現藏故宮博物院。

掐絲琺瑯雙龍瓶

清

高59.5、口徑13.5、足徑17.3厘米。

鍍金。以淺藍釉爲地，通體飾勾蓮紋，肩部盤繞圓雕戲珠雙龍，下連鍍金銅座，上飾海水紋。口沿處刻橫書單行"大清乾隆年製"款。

現藏故宮博物院。

[珐琅器]

清（公元一六四四年至公元一九一一年）

掐丝珐琅带盖梅瓶
清
高38厘米。
镀金。通体浅蓝釉地，腹部饰夔凤穿牡丹纹，肩部饰垂云纹。
现藏故宫博物院。

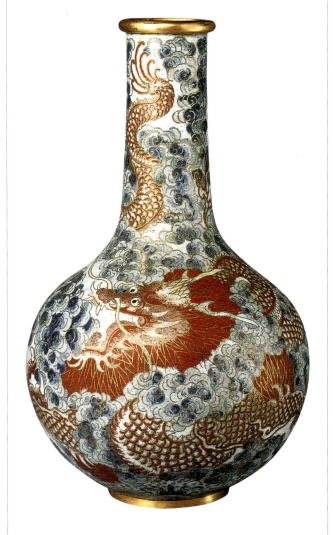

掐丝珐琅云纹天球瓶
清
高41.9、口径8.7厘米。
瓶唇口，长直颈，球形腹，圈足。通体施蓝白色珐琅釉为地，上饰云龙纹。底镀金，光素无款。
现藏故宫博物院。

珐琅器

掐丝珐琅三足蓋鼎

清

高32、口徑21.2、腹徑23.5厘米。

鍍金。通體藍釉地，掐絲填彩釉爲紋。蓋頂有鍍金鏤空雲龍紋球形鈕，腹上部起雙弦紋，與口沿之間飾捲草紋一周，其下排列六朵填紅、寶藍、粉、黄、白等色勾蓮紋，三足飾勾蓮紋及梅花紋。器底有"乾隆年製"楷書款。

現藏遼寧省旅順博物館。

清（公元一六四四年至公元一九一一年）

[珐琅器]

清（公元一六四四年至公元一九一一年）

掐絲珐琅獸面出戟方觚

清

高35、口寬17.6、底寬11.7厘米。

通體藍釉地，以紅、黑、深藍彩嵌紋飾，四面紋飾相同。腹部飾獸面紋，上下分別飾夔龍紋，口沿下及底邊飾仰、覆蕉葉紋。底有"乾隆年製"楷書款。

現藏遼寧省旅順博物館。

掐絲珐琅獸面紋尊

清

高15厘米。

尊撇口，鼓腹，高圈足。通體施淺藍釉爲地，飾掐絲珐琅回紋錦地，頸飾蕉葉形開光，內有螭紋，腹、足四面各飾獸面紋。底雙方框內鐫文"乾隆年製"四字楷書款。

現藏故宮博物院。

[珐琅器]

清（公元一六四四年至公元一九一一年）

掐絲珐琅鳳耳三足尊
清
高43、口徑21.7、腹徑19.5厘米。
銅胎鍍金。通體藍釉地，頸設對稱飛鳳，肩附三銜環鋪首，器底有三飛獸足。腹上部以寶藍、淡綠、粉紅等色飾三個獸面紋，腹下部及足壁蕉葉紋內飾獸面紋。
現藏遼寧省旅順博物館。

[珐琅器]

掐丝珐琅兽面纹石榴尊
清
高18.5、口径6.5厘米。
尊为石榴形，颈、腹有瓜棱式凹线，圈足。颈、腹、足施天蓝色珐琅釉地，上下各饰彩釉蕉叶纹作装饰带，兽面纹作腹部的主要纹饰，口沿及肩、胫以宝蓝色珐琅釉为地饰彩色蟠螭纹。底镀金，双方框内錾阴文"乾隆年制"四字楷书款。
现藏故宫博物院。

清（公元一六四四年至公元一九一一年）

掐絲琺瑯鳧尊

清
高30.5厘米。
鍍金。鳧身掐絲羽紋，內填彩釉，頭及足皆光素。鳧背馱一扁體尊，尊以淺藍釉為地，上飾勾蓮和太極圖案。此器為揚州製造。
現藏故宮博物院。

清（公元一六四四年至公元一九一一年）

[珐琅器]

金胎掐丝嵌画珐琅开光仕女图执壶

清

通高39、宽28厘米。

金胎。长颈，扁圆腹，铜镀金龙首流和如意曲柄，椭圆圈足。盖顶有红珊瑚珠钮。通体施蓝色珐琅釉为地，盖、颈、肩、足均以嵌画珐琅片作开光，开光内绘山水、花卉、仕女图，开光外为掐丝珐琅勾莲纹；腹部主体纹饰作两面花瓣式开光，内绘《庭院母子图》。底双方框内錾阴文"大清乾隆年制"六字楷书款。现藏故宫博物院。

掐絲珐琅龍把壺

清

高31、口徑8.5、底徑10.2厘米。

通體以淺綠釉爲地,掐絲五彩雲紋。頸部分作兩段,上段裝飾花卉,下段裝飾龍紋,腹部掐絲一條游龍。壺把爲一條氣勢雄偉的圓雕巨龍。壺底有"乾隆年製"款。現藏西藏自治區拉薩市羅布林卡。

[珐琅器]

清（公元一六四四年至公元一九一一年）

掐絲珐琅鳧形提梁壺
清
通高15.3、寬25厘米。
壺爲立鳧形，平首，開屏尾，背馱提梁壺。鍍金如意雲頭紋方形提梁，獸形鈕。通體施天藍色珐琅釉爲地，掐絲填釉各色纏枝小朵菊花紋，胸腹爲各色蕉葉紋，并鏨陰文"乾隆年製"四字楷書款。
現藏故宫博物院。

掐絲珐琅勾蓮紋瑞獸
清
高13.9、長21厘米。
瑞獸爲卧式，張口露齒，捲尾，銅鍍金雙角和四足。通體以天藍色珐琅釉爲地，飾掐絲珐琅各色勾蓮紋和羽毛紋。瑞獸尾部爲寶藍釉鏨胎填金刷毛紋，腹中部飾寬粉色花帶，胸下鏨陰文"乾隆年製"四字楷書款。
現藏故宫博物院。

264

[珐琅器]

掐丝珐琅龙纹砚盒
清
高15.8、长19、宽15.2厘米。
镀金。下连镀金铜座,通体以宝蓝釉为地,饰云龙及海水江牙纹。盒内置一铜屉,屉内盛两方长方形澄泥砚。底部錾刻凸起双龙,环抱"大清乾隆年制"楷书款。
现藏故宫博物院。

掐丝珐琅冰箱
清
高76、长72.5、宽72.5厘米。
木胎、铅里,呈口大底小的方斗状。通体以浅蓝釉为地,掐丝珐琅缠枝花卉为纹。腹部有上下两道凸起弦纹,两侧各有两提环,底部有一圆孔,为冰化泄水之道。盖面有二钱纹孔,可散发冷气。盖沿镀金,刻"大清乾隆御製"款。
现藏故宫博物院。

清(公元一六四四年至公元一九一一年)

[珐琅器]

掐絲珐琅五岳圖屏風
清
通高274、橫300厘米。
屏風爲五屏式,紫檀木邊框,須彌座式底座。屏心分別以掐絲珐琅飾《五岳圖》:中爲《嵩岳圖》,左側爲《華岳圖》、《恒岳圖》,右側爲《泰岳圖》、《衡岳圖》。屏心下木雕五蝠捧壽紋。
現藏故宮博物院。

珐琅器

掐丝珐琅塔
清
高231、底徑94厘米。
鍍金,覆鉢式寶塔。黃釉爲地,飾番蓮紋。塔門內供玉佛一尊。塔刹十三級,均飾梵文。須彌寶座,正面上沿作長方形方框,上書藍地鍍金銅字"大清乾隆甲午年敬造"款。
現藏故宮博物院。

清（公元一六四四年至公元一九一一年）

【珐琅器】

掐絲珐琅壇城

清

高52、直徑76厘米。

壇城局部施掐絲填彩色珐琅釉。底座呈圓圜形,外墻飾纏枝花紋,上飾紅、黄、藍、緑、紫五色纏枝蓮紋,座内凸起紅、藍、黄、紫、黑五色火焰紋,每層都象徵不同的護法境界。圓形平臺上聳立四方城臺,臺上置宫殿,四面各開一門。宫殿爲藏式平頂建築,上有金頂,四周陳設護法神像和法器,殿内置釋迦牟尼説法像。現藏故宫博物院。

[珐琅器]

清（公元一六四四年至公元一九一一年）

掐絲珐琅壽字紋碗
清
高5.8、口徑9.9厘米。
銅胎鍍金，直口，圈足。外壁施寶藍色珐琅釉為地，上飾篆書"壽"字兩周，共四十字。口沿下及近足處各飾鏨花"卍"字紋一周。底鏨陰文"大清嘉慶年製"六字隸書款。
現藏故宮博物院。

掐絲珐琅年年益壽蓋碗
清
高12.2、口徑14.5厘米。
銅胎鍍金，敞口，有蓋，圈足。通體施淡黃色珐琅釉為地，飾以掐絲填淺緑、紫紅、灰、白、淺藍等色纏枝蓮紋。外壁飾盛開的番蓮花十二朵，蓋上飾四朵，蓋上花間有四個圓形開光，内填藍釉鏨鍍金"年"、"年"、"益"、"壽"四字。底鏨陰文"同治年製"四字楷書款。
現藏故宮博物院。

[珐琅器]

清（公元一六四四年至公元一九一一年）

掐絲珐琅轉心瓶
清
高33.5、口徑9.8、足徑10.4厘米。
鍍金。頸與足以珐琅筒心相連接，腹部可轉動。通體以淺藍釉爲地，掐絲勾蓮花卉紋飾，內填五彩。腹部開四個圓光，內爲鏤空透雕龍紋。
現藏故宫博物院。

掐絲珐琅纏枝牡丹紋藏草瓶
清
高22.8、口徑7.5厘米。
銅胎鍍金，盤口，直頸，鼓腹下斂，底內凹。頸部凸起捲草紋一周，肩上盤有蟠龍兩條。盤口及頸部施藍色珐琅釉爲地，飾朵雲紋及勾蓮紋。其餘通體以黄色珐琅釉爲地，飾彩色纏枝雙犄牡丹花四朵，間飾紅蝙蝠。
現藏故宫博物院。

[珐琅器]

清（公元一六四四年至公元一九一一年）

掐絲珐琅卷書錦袱式筆筒
清
高9.5、口徑8.5厘米。
銅胎鍍金，卷書錦袱式，五垂雲足。通體施天藍色珐琅釉爲地，飾掐絲牡丹、竹、山石、菊花、鳴禽等紋飾。腰際束以凸起寶藍色雲紋錦袱，下呈纏枝蓮紋垂雲座。書卷首置簽條式紅釉地掐絲填黑釉"志遠堂"三字楷書款。"志遠堂"爲清晚期北京地區私營燒造珐琅器的商號。
現藏故宮博物院。

掐絲珐琅方罍
清
高24.1厘米。
鍍金。四面中間及四角共出八戟，兩面肩部飾凸起的獸面。通體飾獸面紋，紋飾填彩釉。此器爲清晚期北京民間作坊製造。
現藏故宮博物院。

【 珐琅器 】

掐丝珐琅熏炉
清

高33厘米，口长16.2、宽12厘米。

鎏金。镂空花卉纹盖，狮钮。颈部一周回纹，腹部以黑釉为地，饰掐丝花卉纹饰，肩部立两夔形耳，底部为四个兽首吞足。此器为清晚期北京民间作坊制造。现藏故宫博物院。

[珐琅器]

畫珐琅開光花卉小瓶
清
高13.5、口徑4、足徑4厘米。
瓶身以淺藍釉為地，腹部三個開光，分別飾紅、綠、藍花卉各一朵，開光之間繪彩色勾蓮。圈足內施白釉為地，中心藍方框內雙行直書"康熙御製"款。
現藏故宮博物院。

畫珐琅山水人物梅瓶
清
高21.8、口徑3.5、足徑7.9厘米。
鍍金。以白釉為地，上繪彩色人物故事圖案，一長者騎獅捧桃，後有一童子挑幡隨行，人物周圍描繪山石樹木。
現藏故宮博物院。

清（公元一六四四年至公元一九一一年）

[珐琅器]

清（公元一六四四年至公元一九一一年）

畫珐琅山水紋爐
清
高5.4、口徑6.4厘米。
鍍金。施黄釉爲地，爐身描繪遠山近水、村莊樹木圖案，有一船夫撐篙而過，充滿了田園情趣。底中心雙直行"康熙御製"篆書款。
現藏故宮博物院。

仿古銅釉長方爐
清
高6.5厘米、口寬6.7、長8.6厘米。
通體施褐黄色珐琅釉，造型仿青銅器，足底中心描金雙綫方框內直書雙行"康熙御製"楷書款。
現藏故宮博物院。

[珐琅器]

清（公元一六四四年至公元一九一一年）

畫珐琅牡丹紋碗
清
高7.9、口徑15.3、足徑6.3厘米。
口沿及圈足底沿鎏金。通體施淺藍釉爲地，上繪彩色纏枝牡丹紋飾。碗內施淡綠色釉。足底藍釉雙綫框內雙行"康熙御製"楷書款。
現藏故宮博物院。

畫珐琅纏枝蓮紋葵瓣式盒
清
高3.1、口徑6、底徑6.5厘米。
盒作葵瓣形。以白釉爲地，蓋面繪牡丹團花紋。蓋側面及盒外壁繪纏枝蓮紋。盒內施淡藍色釉。盒底白釉，中央有雙藍圈雙行"康熙御製"楷書款。
現藏故宮博物院。

[珐琅器]

畫珐琅番蓮雙蝶紋花口盤
清
高3.5、口徑15.4厘米。
盤爲菱花式，有十六瓣，平底。盤内心施黄色珐琅釉地，飾翩翩起舞的雙蝶，組成"喜相逢"的吉祥圖案。内壁施天藍色、外壁施黄色珐琅釉，飾折枝番蓮紋。底施白釉，藍色雙方框内署"康熙御製"四字楷書款。現藏故宫博物院。

【珐琅器】

畫珐琅蓮花式盤
清
高2.3、口徑16.8、足徑8.2厘米。
鍍金。盤呈蓮花瓣狀，中心施淺藍釉爲地，上繪紅色茶花一朵，圍以七色勾蓮，邊緣施黃釉爲地，飾有各色蓮花。菱花形圈足內爲白地，中心藍色雙環內直書雙行"康熙御製"楷書款。
現藏故宮博物院。

清（公元一六四四年至公元一九一一年）

[琺瑯器]

清（公元一六四四年至公元一九一一年）

畫琺瑯花卉紋水丞
清
高2.9、口徑2、底徑3.6厘米。
鍍金。施黃釉爲地，通體繪牡丹、菊花、月季、百合等十餘種花卉，外形富麗堂皇。底部施白釉，中心雙綫藍方框內直書雙行"康熙御製"款。
現藏故宮博物院。

畫琺瑯梅花鼻烟壺
清
高6、腹寬4.5厘米。
以白色釉爲地，腹兩面開光，內繪寫生梅花，側面飾纏枝花卉。足底施白釉，中心藍釉直書雙行"康熙年製"楷書款。
現藏故宮博物院。

畫琺瑯嵌匏人物鼻烟壺
清
高6.5、腹寬4.8厘米。
鍍金。腹兩面開圓光，內嵌人物紋葫蘆片。烟壺兩側繪白地折枝花卉。足底施白釉，中心藍釉楷書"康熙年製"款。鏨花銅鍍金蓋，內連象牙勺。
現藏故宮博物院。

278

[珐琅器]

畫珐琅滷壺
清
高13、口徑3.1、足徑4.1厘米。
鍍金。以黑釉爲地，通體飾花卉及蝙蝠紋，每朵花卉皆以"壽"字爲心。螭形把手與蓋鈕相連。圈足内以白釉爲地，中心藍方框内直書雙行"雍正年製"款。
現藏故宫博物院。

清（公元一六四四年至公元一九一一年）

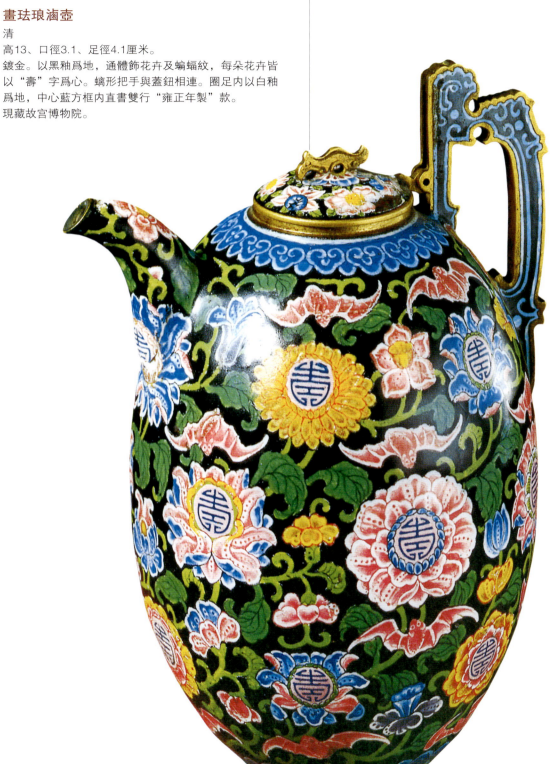

[珐琅器]

清（公元一六四四年至公元一九一一年）

畫珐琅六頸瓶
清
高11.6、最大口徑4.9厘米。
鍍金。肩部出五頸，頸及腹部以黃釉爲地，描繪纏枝花卉爲紋，繞肩一周及近足處以黑釉爲地，飾蓮花圖案。足中心雙藍綫方框內直書雙行"雍正年製"款。
現藏故宮博物院。

[珐 琅 器]

畫珐琅法輪

清

高22、足徑10厘米。

鍍金。雙層蓮瓣紋高圈足，上托以兩道聯珠紋鑲邊的法輪，作八輻，每輻以黃釉爲地，飾蓮花八寶紋。足部飾黃地葵花一朵，其中一瓣上藍釉單行橫書"雍正年製"楷書款。

現藏故宮博物院。

清（公元一六四四年至公元一九一一年）

281

[珐琅器]

清（公元一六四四年至公元一九一一年）

畫珐琅帶托杯
清
高8.5厘米，杯口徑5.1、足徑2.5厘米，托口徑16、足徑12厘米。
鍍金。杯爲直口帶蓋，以淺藍釉爲地，飾纏枝花卉及黃地"壽"字。托盤中心有一凸起圓形杯槽，上爲黑地百花紋，周圍繞以四個開光，內爲黃地四季花卉。器底有"雍正年製"楷書款。
現藏故宮博物院。

畫珐琅黑地白梅花鼻烟壺
清
高6、腹寬4.5厘米。
鍍金。通體施黑釉，繪一株白梅花圖案。足底施白釉，上書藍釉楷書"雍正年製"款。鏨花銅鍍金蓋，內連象牙勺。
現藏故宮博物院。

[珐琅器]

清（公元一六四四年至公元一九一一年）

畫珐琅團花紋提梁壺
清
高17.3、口徑5.3厘米。
壺爲瓜棱形，共六棱，直提梁，曲流，花瓣式蓋，寶珠鈕。通體施白色珐琅釉地，上繪各色團錦花，提梁、口沿下、足上邊飾折枝花。底白釉，藍色雙圈內署"乾隆年製"四字楷書款。
現藏故宮博物院。

畫珐琅葫蘆式瓶
清
高11.6、口徑2、足徑6厘米。
鍍金。器身作十六瓣瓜棱形，在淡綠色底釉上描繪纏枝葫蘆紋飾。下腹兩個開光，內飾白地花蝶紋。瓶底爲白地，上直書藍釉三直行"大清乾隆年製"款。
現藏故宮博物院。

[珐琅器]

畫珐琅提梁壺
清
高37.8、口徑8.8、足徑13.3厘米。
壺呈八棱形，上置鍍金嵌金星料提梁，鍍金曲流，下置銅鍍金"S"型足架，架內為一可盛燃油的畫珐琅菊花紋小盒。壺身八面開光，開光內相間排列設色山水和花鳥圖各四幅。壺底及油盒底均署"乾隆年製"款。此器為燒酒精器具。
現藏故宮博物院。

[珐琅器]

清（公元一六四四年至公元一九一一年）

畫珐琅牡丹花籃
清
高14、口徑16.5–17.3厘米。
通體施黃珐琅地，提梁彩繪折枝花，腹部飾四朵碩大的牡丹。內壁施以天藍釉。底部施白釉，正中紅色方框內有"乾隆年製"楷書款。
現藏故宮博物院。

畫珐琅開光山水人物圖瓜棱盒
清
通高14.9、口徑17.5厘米。
盒呈瓜棱形，蓋頂鏨花蓮紋寶珠鈕。通體施黃色珐琅釉為地，繪彩釉西番蓮紋，并飾白色地如意雲頭式開光，開光內分別繪山水風景，西洋婦嬰圖和牡丹、荷花等花卉。底施白釉，署"乾隆年製"四字仿宋體款。
現藏故宮博物院。

285

[珐琅器]

清（公元一六四四年至公元一九一一年）

畫珐琅玉堂富貴圖瓶
清
高44、口徑14厘米。
瓶撇口，直頸，鼓腹，平底。通體施紫紅色珐琅釉爲地，通景繪《玉堂富貴圖》，在藍色山石上一隻綬帶鳥回首而望，石邊雍容華貴的牡丹，色彩絢麗的月季、菊花、玉蘭花競相開放，玉蘭樹上棲着另一隻綬帶鳥。
現藏故宮博物院。

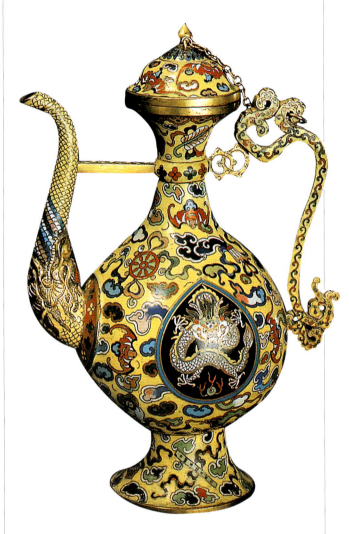

畫珐琅執壺
清
高27、口徑6.6、底徑8.7厘米。
壺通體施淺黃釉，其上繪捲雲、蝙蝠、八寶等各種紋飾，腹兩面有對稱的雞心形開光，開光内爲一團龍。流部爲龍首形，蓋與柄間有銅鏈相連。
現藏西藏自治區拉薩市羅布林卡。

[珐琅器]

畫珐琅雙耳瓶
清
高45.5厘米。
瓶身赭紅色地，用金色勾花紋輪廓，仿掐絲效果。腹部開光內彩繪西洋仕女和風景。器底有"大清乾隆年製"楷書款。此器爲廣州製造。
現藏廣東民間工藝博物館。

畫珐琅海棠花式瓶
清
高50.5、口徑16、足徑14厘米。
鍍金，口及足部爲四瓣海棠花形，通體錘鍱鍍金流雲紋，間飾五彩珐琅百花。腹兩側有鋪首銜環，前後開光，繪山水樓閣圖案，足底有"大清乾隆年製"款。此器爲廣州製造。
現藏故宫博物院。

清（公元一六四四年至公元一九一一年）

[珐琅器]

清（公元一六四四年至公元一九一一年）

畫珐琅大缸
清

高28、口徑34、足徑23.2厘米。
腹部以黃釉爲地，飾勾蓮紋，并有四個開光，開光内以白釉爲地，繪鸛鶴、嬰戲、笙簫、祝壽圖案，足部飾黃地藍色雙螭紋。此器爲廣州製造。
現藏故宫博物院。

[珐琅器]

清（公元一六四四年至公元一九一一年）

畫珐琅花鳥鼻煙壺之雉雞

畫珐琅花鳥鼻煙壺之月季

畫珐琅花鳥鼻煙壺
清
高5.6、腹寬4厘米。
鍍金。腹部繪花鳥圖案：一面爲盛開的月季，另一面爲兩隻雉雞立于山石之上。煙壺頸部及近足處繪如意雲頭紋。足底白釉，書藍釉"乾隆年製"楷書款。鏨花銅鍍金蓋，内連象牙勺。
現藏故宫博物院。

畫珐琅蟹菊紋鼻煙碟
清
長7.6、寬4.5厘米。
呈荷葉狀，鑲金邊。内部勾畫葉脉并繪菊花及蟹，背面中心開橢圓形光，内白地上書藍釉"乾隆年製"楷書款。
現藏故宫博物院。

289

[珐琅器]

清（公元一六四四年至公元一九一一年）

畫珐琅金彩花卉紋盤
清
高2.7、口徑21厘米。
寶藍色釉地，繪金彩花紋。盤心爲六出團花，外繞一周纏枝捲草。底有"乾隆年製"款。
現藏遼寧省博物館。

畫珐琅花卉祝壽八寶雙層盒
清
高10.6、口徑34.6、底徑33厘米。
鍍金。以寶藍釉爲地，蓋頂中部圓形開光中飾五蝠捧壽圖案，四周飾花卉，其間夾雜棕褐色八寶圖案。盒身內套一多槅淺盤，每一槅內有團花及"壽"字。此器爲廣州製造。
現藏廣東省博物館。

290

[珐琅器]

清（公元一六四四年至公元一九一一年）

畫珐琅綠地描金獸面方瓶
清
高39厘米，口長12、寬8.5厘米，足長9.6、寬5.7厘米。鍍金。頸部出兩象耳，肩部飾鍍金蕉葉紋一周，腹部飾鍍金太極及變形夔紋，其餘部分爲掐絲獸面和回紋。足底光素潔白。此器爲廣州製造。
現藏故宮博物院。

畫珐琅花觚
清
高22.2、口徑11.5、足徑8.7厘米。鍍金。以藍釉爲地，上繪勾蓮紋。腹部開光，上下各飾一周銅鍍金蕉葉紋。足內爲白地，中心部分紅雙綫框內直書雙行"乾隆年製"款。
現藏故宮博物院。

291

[珐琅器]

畫珐琅描金夔紋雙耳高足杯
清
高16.5、口徑18.3厘米。
杯侈口，弧腹，鍍金夔紋雙耳，高足。通體施仿古銅綠色透明珐琅釉，加描金夔紋、回紋、蓮紋。口沿下、腹下及足上下嵌鍍金鏨花變形葉紋。底鍍金，光素無款。現藏故宫博物院。

畫珐琅執壺

清

高23.9、口徑4.4、足徑7.1厘米。

鍍金。通體以黃色釉為地，飾纏枝花卉紋，頸部一周藍色垂雲紋。器底有"嘉慶年製"楷書款。

現藏故宮博物院。

[珐琅器]

清（公元一六四四年至公元一九一一年）

畫珐琅方夔紋熏爐
清
高21、口徑12.5厘米。
鍍金，以淺藍釉爲地，蓋飾如意雲頭紋，邊緣鏤空。鈕爲一卧象負仙桃形象，腹部繪夔紋兩周，雙耳及三足皆爲象鼻狀。此器爲廣州製造。
現藏故宫博物院。

[珐琅器]

清（公元一六四四年至公元一九一一年）

錾胎珐琅鎏金炉
清
高17、腹径13厘米。
通体錾刻蝙蝠卷云纹，腹部有团"寿"字四个，底部一周莲瓣纹。纹饰分别填红、绿、蓝、白珐琅釉，卷云纹双耳，三兽足，顶盖配翡翠钮。底刻"乾隆年制"楷书款。
现藏广东省广州博物馆。

錾胎珐琅牺尊
清
高19、长21.2、宽9厘米。
鎏金。牛通体錾勾云纹及毛纹，背负二筒一书，作蓦然回首状。书前面做出方框，内錾双勾填红釉"乾隆仿古"楷书款。
现藏故宫博物院。

[珐琅器]

清（公元一六四四年至公元一九一一年）

錾胎珐琅象
清
高174、长102、宽59厘米。
镀金，象直立，背负宝瓶，下连束腰长方座。象通体錾如意云纹，填彩色珐琅釉，身披璎珞及饰物。鞍垫及宝瓶以浅蓝釉为地饰云龙及花卉纹。
现藏故宫博物院。

[珐琅器]

錾胎珐琅四友图屏风
清
通高288、横290厘米。
三扇屏。屏心为錾胎珐琅，紫檀木边框，须弥座，两侧为镂空珐琅站牙抵夹。屏心铜镀金地錾刻卷云纹，三屏通饰《松竹梅兰四友图》，点缀灵芝和湖石，左上方书《御题四友图诗》。背面饰减地阳文松、竹、梅及玉兰、牡丹等花卉图。
现藏故宫博物院。

清（公元一六四四年至公元一九一一年）

[珐琅器]

清（公元一六四四年至公元一九一一年）

錾胎珐琅面盆
清
口径47、底径16.5厘米。
通体饰银片花卉，再施以宝蓝色透明珐琅。盘心绘金菊花一朵，外绕多重绳纹及叶纹。此器为广州制造。
现藏故宫博物院。

錾胎珐琅方水丞
清
高3.5、口宽3、底宽5厘米。
银胎。通体錾刻缠枝花卉蝙蝠纹，外施绿色透明珐琅。此器为广州制造。
现藏故宫博物院。

錾胎珐琅瓜棱水丞
清
高3.5、口径3.5、足径3.8厘米。
银胎。通体呈瓜棱形，外壁錾刻缠枝花卉，外施绿色透明珐琅，口沿錾莲瓣一周，内填宝蓝釉，水丞内附一曲柄勺。此器为广州制造。
现藏故宫博物院。

298

[珐琅器]

清（公元一六四四年至公元一九一一年）

錘胎珐琅八方盒
清
高16.3厘米，口寬16.9、長25.4厘米。
鍍金。盒呈長八方體，盒體表面以銀片錘出中凹的花紋輪廓，蓋與盒用合頁相連，算珠式足。盒蓋飾五蝠捧壽圖案，盒體四周有橢圓形開光，內飾藍地蟠桃紋。
現藏故宮博物院。

錘胎珐琅雙耳爐
清
高38.5、口徑11厘米。
鍍金。器身呈瓜棱形，蓋及鈕鏤空。通體飾勾蓮紋及蝙蝠、"壽"字紋，內填藍、綠珐琅，肩部附兩螭耳。此器爲廣州製造。
現藏故宮博物院。

299

[珐琅器]

清（公元一六四四年至公元一九一一年）

錘胎琺瑯雙耳瓶
清
高29、口徑10.5、足徑11厘米。
銀胎鍍金。通體施半透明琺瑯。頸部飾下垂蕉葉紋一周，間以二"壽"字，腹部飾寶相花。此器爲廣州製造。現藏故宮博物院。

錘胎琺瑯蠟臺
清
高47、大盤徑18、足徑13厘米。
鍍金。雙盤及座爲六瓣蓮花形，柱爲六棱形。通體錘飾勾蓮紋，內填藍、綠琺瑯，並嵌以紅色珊瑚。現藏故宮博物院。

年　表

（紅色字體爲本卷涉及時代）

新石器時代（公元前8000年—公元前2000年）
　　裴李崗文化（公元前5500年—公元前4900年）
　　河姆渡文化（公元前5000年—公元前4000年）
　　仰韶文化（公元前5000年—公元前3000年）
　　新開流文化（公元前4300年）
　　大汶口文化（公元前4100年—公元前2600年）
　　馬家窰文化（公元前3300—公元前2100年）
　　良渚文化（公元前3300—公元前2100年）

夏（公元前21世紀–公元前16世紀）

商（公元前16世紀—公元前11世紀）

西周（公元前11世紀—公元前771年）

春秋（公元前770年—公元前476年）

戰國（公元前475年—公元前221年）

秦（公元前221年–公元前207年）

漢（公元前206年—公元220年）
　　西漢（公元前206年—公元8年）
　　新（公元9年–公元23年）
　　東漢（公元25年–公元220年）

三國（公元220年–公元265年）
　　魏（公元220年–公元265年）
　　蜀（公元221年–公元263年）
　　吳（公元222年–公元280年）

西晋（公元265年–公元316年）

十六國（公元304年–公元439年）

東晋（公元317年–公元420年）

北朝（公元386年—公元581年）
　　北魏（公元386年–公元534年）
　　東魏（公元534年–公元550年）
　　西魏（公元535年–公元556年）
　　北齊（公元550年–公元577年）
　　北周（公元557年–公元581年）

南朝（公元420年—公元589年）
　　宋（公元420年–公元479年）
　　齊（公元479年–公元502年）
　　梁（公元502年–公元557年）
　　陳（公元557年–公元589年）

隋（公元581年–公元618年）

唐（公元618年—公元907年）

五代十國（公元907年—公元960年）

遼（公元916年—公元1125年）

宋（公元960年—公元1279年）
　　北宋（公元960年–公元1127年）
　　南宋（公元1127年–公元1279年）

西夏（公元1038年—公元1227年）

金（公元1115年–公元1234年）

元（公元1271年—公元1368年）

明（公元1368年—公元1644年）

清（公元1644年—公元1911年）